RETOUR À REIMS

DU MÊME AUTEUR

Entretiens avec Georges Dumézil, Gallimard, « Folio », 1987.

De près et de loin. Entretiens avec Claude Lévi-Strauss, Odile Jacob, 1998 ; rééd. augmentée coll. « Poches-Odile Jacob », 2001.

Michel Foucault, 1926-1984, Flammarion, 1989 ; nouv. éd. revue et augmentée coll. « Champs », 2011.

Ce que l'image nous dit. Entretiens avec Ernst Gombrich, Adam Biro, 1991 ; rééd. Diderot multimédia, 1998 ; rééd. Cartouche, 2009.

Faut-il brûler Dumézil ? Mythologie, science et politique, Flammarion, 1992.

Michel Foucault et ses contemporains, Fayard, 1994.

Les Études gays et lesbiennes. Actes du colloque des 21 et 27 juin 1997 (dir.), Éditions du Centre Georges-Pompidou, 1998.

Réflexions sur la question gay, Fayard, 1999 ; nouv. éd. revue et augmentée coll. « Champs », 2012.

Papiers d'identité. Interventions sur la question gay, Fayard, 2000.

Une morale du minoritaire. Variations sur un thème de Jean Genet, Fayard, 2001 ; rééd. coll. « Champs », 2015.

Dictionnaire des cultures gays et lesbiennes (dir.), Larousse, 2003.

Hérésies. Essais sur la théorie de la sexualité, Fayard, 2003.

Sur cet instant fragile… Carnets, janvier-août 2004, Fayard, 2004.

Échapper à la psychanalyse, Léo Scheer, 2005.

Foucault aujourd'hui. Actes des neuvièmes rencontres INA-Sorbonne, 27 novembre 2004 (dir., avec Roger Chartier), L'Harmattan, 2006.

D'une révolution conservatrice et de ses effets sur la gauche française, Léo Scheer, 2007.

Contre l'égalité et autres chroniques, Cartouche, 2008.

De la subversion : droit, norme et politique, Cartouche, 2010.

Retours sur Retour à Reims, Cartouche, 2011.

La Société comme verdict. Classes, identités, trajectoires, Fayard, 2013 ; rééd. coll. « Champs », 2014.

Théories de la littérature. Système du genre et verdicts sexuels, PUF, 2015.

Principes d'une pensée critique, Fayard, 2016.

Didier Eribon

RETOUR À REIMS

Précédé d'un entretien avec Édouard Louis

Champs essais

© Librairie Arthème Fayard, 2009.
©Flammarion, 2018, pour la présente édition.
ISBN : 978-2-0813-9600-5

Nº d'édition : L.01EHQN000937.N001
Dépôt légal : septembre 2018
Imprimé en Espagne par Novoprint (Barcelone)

Pour G., qui veut toujours tout savoir.

Cinq questions
à Édouard Louis

Comment avez-vous découvert Retour à Reims *? Vous souvenez-vous de votre première lecture ?*

J'avais à peu près dix-huit ans, c'était une amie qui me l'avait conseillé. Je me souviens que je l'ai lu quelques jours plus tard et que je me suis dit : ce livre est l'histoire de ma vie.

《 Je me suis dit : ce livre est l'histoire de ma vie. 》

Retour à Reims retrace – entre autres, parce qu'il contient beaucoup de choses – la trajectoire d'un jeune gay qui grandit dans les classes populaires de Reims, dans un monde pauvre et dépossédé de presque tout, et qui va lutter pour s'éloigner du milieu de son enfance, pour s'inventer autrement, devenir quelqu'un d'autre.
Il fuit Reims et s'installe à Paris, il lit des centaines de livres, il commence à en écrire, à publier, jusqu'à devenir

un intellectuel de premier plan, à l'échelle mondiale. Et il se transforme tellement, il s'éloigne tellement de sa famille et de la classe sociale dans laquelle il a grandi que quelques années après son départ pour Paris il n'est plus capable de parler à sa famille ; ils ne parlent plus le même langage, ils ne voient plus le monde de la même façon, ils ne se comprennent plus. Ils ont vécu pendant des années ensemble, leurs corps ont partagé le même espace, mais ils n'ont plus rien en commun. Il a étudié la philosophie à la Sorbonne, son père et sa mère ont dû quitter le système scolaire à l'adolescence et travailler à l'usine. Pendant qu'il lisait Beauvoir et Spinoza, ses parents avaient le corps broyé par la cadence de la chaîne. Il s'est fabriqué un autre corps, une autre manière de s'exprimer, de penser, de vivre et plus rien, ou presque, ne le relie à son passé.

> **《 Quand j'ai lu *Retour à Reims* pour la première fois, je n'avais lu presque aucun autre livre. 》**

J'ai fermé le livre, en larmes, et je me répétais cette phrase, donc : ce livre est l'histoire de ma vie. Je l'ai cru pendant longtemps. Et puis un jour, je ne sais pas ce qui s'est passé mais j'ai dû admettre que ce n'était pas vrai : quand j'ai lu *Retour à Reims*, la première fois, je n'avais lu presque aucun autre livre de ma vie. J'avais encore moins le projet d'en écrire, même si j'avais fait quelques tentatives dans mon enfance. Je n'habitais pas à Paris, je parlais encore à ma famille, je n'étais pas un intellectuel, je n'avais pas le projet de le devenir.

Et pourtant, je pense que c'est cette erreur, *le fait que j'ai cru que c'était mon histoire*, qui a fait que ce livre a eu autant d'impact sur moi. Je pense qu'il faut moins considérer les livres comme un espace à l'intérieur duquel on peut se reconnaître que comme un espace de fantasme, et peut-être même se demander si ce n'est pas le vrai pouvoir qu'ont les grands livres, le fantasme, au sens d'une erreur dans l'identification qui produit des effets sur la réalité. Denise Riley dit quelque part que le fantasme est un processus de métaphorisation permanente, puisque quand on fantasme, on se met à vivre *comme si*. C'est parce que pendant plusieurs mois j'ai vécu *comme si* j'étais la même personne que Didier Eribon dans *Retour à Reims*, *comme si* j'avais la même vie que lui, et c'est parce que je le croyais vraiment, que j'ai pu, petit à petit, progressivement, devenir une autre personne et, moi aussi, commencer à écrire des livres.

C'est pour cela que vous avez dédicacé votre premier roman, En finir avec Eddy Bellegueule, *à Didier Eribon ?* Retour à Reims *a donc joué un rôle central dans votre vocation d'écrivain ?*

Oui, parce que *Retour à Reims* est aussi un livre qui permet de *voir* sa vie, et donc de la raconter.
Vous savez, pour moi, un des grands phénomènes de violence et de dépossession dans nos vies, c'est que la plupart du temps on ne voit même pas sa propre vie, on vit à côté d'elle, on passe à côté d'elle et on meurt en l'ayant à peine aperçue.

III

> ❮❮ **La plupart du temps on ne voit même pas sa propre vie, on vit à côté d'elle.** ❯❯

Il y a un exemple que je prends souvent parce qu'il est à la fois simple et profond : c'est celui de ma mère qui, quand j'étais enfant, me répétait toujours : « L'école, ça n'a jamais été mon truc, ça ne m'a jamais intéressée », comme le disent les frères de Didier Eribon dans *Retour à Reims*. Quand ma mère le disait, pour moi ce n'était qu'une phrase, comme ça, insignifiante, juste un détail sur sa vie ou sur son caractère.

Mais quand j'ai lu Eribon, puis Bourdieu, j'ai compris que cette phrase n'était pas seulement un détail, une succession de mots et de sons, mais qu'elle révélait tout un système d'exclusion, de domination et de reproduction sociale. Ma mère pensait qu'elle avait fait un choix en arrêtant l'école à 16 ans, mais elle ne se rendait pas compte que tout le monde dans son milieu, dans sa classe sociale, dans son village, avait fait la même chose et que donc sa décision était le résultat d'un déterminisme social, collectif. Elle ne voyait pas que pour les classes les plus privilégiées, faire des études est une évidence, alors que dans sa classe à elle, c'est une chose presque impossible.

> ❮❮ **Après la lecture de *Retour à Reims*, une simple phrase de ma mère avait un sens vertigineux.** ❯❯

Ce que ma mère pensait comme un choix, comme une petite caractéristique individuelle à peine intéressante à raconter, avait en fait un sens très profond : les femmes dans son cas, nées dans un milieu pauvre, dans un petit village loin de tout, étaient dans l'ensemble prédestinées à cette vie, à ne pas faire d'études, à avoir des enfants très jeunes, comme la mère de Didier Eribon. Tout à coup, après la lecture de *Retour à Reims*, une simple phrase de ma mère avait un sens vertigineux, presque infini, qui disait quelque chose sur le monde, sur les inégalités sociales, la reproduction, le destin – les destins collectifs.

Beaucoup d'éléments, de scènes, de paroles entendues pendant mon enfance se sont mis à émerger, par le sens qu'ils avaient et que je découvrais. C'était comme si je vivais mon enfance après l'avoir vécue, tout à coup ma vie prenait de l'épaisseur, de la profondeur parce que je voyais des choses que je n'avais pas pu voir au moment où je les vivais, qui n'avaient pas eu d'existence dans ma conscience. Des journées, des heures entières se mettaient à *exister*, elles étaient arrachées au néant. *Retour à Reims*, et les rares livres du même ordre, semblent avoir une capacité à rallonger la vie, d'une façon quasi magique ; une enfance sur laquelle je n'aurais eu que quelques mots à dire devenait beaucoup, beaucoup plus longue à raconter que ce que j'aurais jamais pu imaginer. Je restitue dans mon premier roman, celui justement que j'ai dédié à Didier Eribon, comment, dans mon enfance, entre onze et treize ans, tous les jours au collège deux garçons m'attendaient dans un couloir pour me cracher dessus et me traiter de «.pédé » : à l'époque, je pensais que cette situation, ces crachats qui coulaient sur mon visage étaient simplement dus au fait que ces garçons me haïssaient *personnellement* à cause de mon homosexualité, ou que leur comportement s'expliquait par une forme de méchanceté personnelle.

> **« Même nos larmes sont politiques. »**

Je ne me rendais pas compte que c'était le produit de toute une histoire de l'homophobie, de centaines d'années de discours homophobes qui avaient rendu possible et pensable ce crachat pour ces garçons, d'une situation de classe aussi, étant donné le poids du masculinisme dans une bonne partie des classes populaires.

Bref, il m'a fallu un livre comme *Retour à Reims* pour comprendre tout ça, pour me rendre compte que même nos larmes sont politiques, que les larmes que je versais après avoir reçu les crachats étaient politiques, parce qu'elles étaient rendues possibles par cet entremêlement d'histoire politique, sociale, culturelle. Peut-être que si j'avais grandi dans un autre monde, à un autre moment, dans un autre pays, dans une autre classe sociale, je n'aurais pas reçu ces crachats. Et c'est à partir du moment où on se rend compte que même une chose aussi anecdotique que nos larmes ont un sens, qu'elles disent quelque chose de la vérité du monde, sur la vérité du monde, qu'on peut les raconter.

Y a-t-il un passage qui vous tienne particulièrement à cœur ?

Il y a beaucoup de passages qui m'ont profondément marqué dans ce livre, mais il y a surtout une idée qui le traverse et que j'ai essayé de développer dans *Qui a tué mon père*. C'est l'idée de l'ontologie négative, l'idée que le monde social nous définit négativement ; je le répète ici parce que c'est réellement la lecture de *Retour à Reims* qui a fait émerger cette idée en moi.

Dans son œuvre, et surtout ses premières œuvres, Jean-Paul Sartre s'est beaucoup interrogé sur les liens entre l'être et les actes, l'être et l'action : est-ce que nous sommes ce que nous faisons, ce que nous entreprenons ? Est-ce qu'on peut définir une femme ou un homme par ce qu'elle ou il a fait, entrepris, accompli dans sa vie ? Ou est-ce qu'on peut considérer qu'il existe un moi en dehors de nos actions, un moi qu'on ne pourrait pas réduire à nos actes ?

> « Nous sommes ce que nous n'avons pas fait. »

La vie du père ou de la mère de Didier Eribon dans *Retour à Reims*, et tant d'autres vies, sont la preuve que nous ne sommes pas ce que nous faisons, mais qu'au contraire *nous sommes ce que nous n'avons pas fait*, parce que la société nous en a empêchés ; à cause de notre place au monde ; parce que ce que Didier appelle les verdicts – femme, pauvre, noir, arabe, gay, trans, etc. – se sont abattus sur nous et nous ont rendu certaines expériences et certaines vies impossibles. Les individus ne sont pas définis par ce qu'ils ont fait mais par ce qu'ils n'ont pas fait, parce qu'ils n'ont pas pu le faire.

Il y a ces pages bouleversantes dans *Retour à Reims*, où la mère de Didier Eribon comprend qu'elle n'a pas pu étudier et que ce fait-là, cette impossibilité, a déterminé sa vie, les métiers difficiles qu'elle a exercés à l'usine, la pauvreté. Elle essaye de « reprendre des études » : elle répète à son fils des choses comme « Moi je n'ai jamais pu, moi je n'ai jamais eu… ». Didier Eribon écrit : « La phrase qui revenait le plus fréquemment dans sa bouche consistait simplement à me rappeler qu'elle avait été privée de ce à quoi j'avais accès. »

Pourquoi, selon vous, faut-il lire Retour à Reims *aujourd'hui ?*

Parce que c'est un des très rares livres qui peut changer la vie. Il a changé la mienne, il peut changer la vôtre.

Quel peut être, à votre avis, l'impact politique de ce livre ?

Je crois que c'est justement cette capacité à agir sur la vie des gens qui le lisent – il y a très peu de livres qui peuvent faire ça. Il y a des œuvres, rares, qui ont engendré des effets politiques très visibles à travers leur impact sur les mouvements sociaux, les rassemblements, comme l'ont fait le *Manifeste du parti communiste* de Karl Marx ou *Le Deuxième Sexe* de Simone de Beauvoir sur le mouvement communiste et le mouvement féministe, ou les travaux de Frantz Fanon sur le mouvement anticolonialiste et antiraciste. Des gens se sont agrégés, ont manifesté, se sont soulevés encore plus après les avoir lus.

Mais il y a aussi des livres, précieux, comme *Retour à Reims*, qui ont un très grand impact mais d'une façon différente, une espèce d'intensité souterraine, qui se manifeste par le fait que des milliers de personnes le lisent, isolément, de leur côté, et voient leur vie souvent transformée par cette lecture. J'ai entendu tellement de personnes me dire : ma vie a changé après avoir lu *Retour à Reims*, après ce livre j'ai commencé à écrire, après ce livre je suis allé vivre à Paris pour étudier la sociologie, après ce livre j'ai reparlé à mon père alors que pendant des années je m'étais éloigné de lui, etc. Je n'exagère vraiment pas. Moi, après avoir lu ce livre, j'ai changé de nom, j'ai changé de vie, de façon de m'exprimer, de façon de rire, d'apparence physique même, j'ai tout changé, parce que ce livre m'a poussé à inventer ma liberté.

> **《** *Retour à Reims* a le pouvoir
> d'agir sur les corps. **》**

Évidemment, ça ne veut pas dire qu'un livre qui a cette capacité à intervenir directement sur la vie des gens ne peut pas produire d'effets sur les mouvements politiques, et *Retour à Reims*, à sa publication en Allemagne par exemple, a beaucoup influencé la vie politique allemande, certaines personnes à l'intérieur des partis politiques de gauche s'en sont servies pour redéfinir leur ligne idéologique. Mais il n'empêche que parallèlement à ça, et avant tout, *Retour à Reims* a ce pouvoir-là, celui d'agir sur les corps, comme dans un échange intime avec la lectrice ou le lecteur. C'est un type de politique qui agit au niveau collectif mais en passant d'abord par les individus sérialisés, une politique *dans* la sérialité, sans besoin que les individus entrent nécessairement en fusion, qu'ils fusionnent en un collectif pour que quelque chose se passe.

Je pense que *Retour à Reims* produit des effets sur une multitude d'individus, qui, tous agrégés, forment un collectif qui ne se connaît pas nécessairement comme collectif, mais qui existe, et qui est là, partout autour de nous.

Édouard Louis, écrivain.

I

1

Longtemps, ce ne fut pour moi qu'un nom. Mes parents s'étaient installés dans ce village à une époque où je n'allais plus les voir. De temps à autre, au cours de mes voyages à l'étranger, je leur envoyais une carte postale, ultime effort pour maintenir un lien que je souhaitais le plus ténu possible. En écrivant l'adresse, je me demandais à quoi ressemblait l'endroit où ils habitaient. Je ne poussais jamais plus loin la curiosité. Lorsque je lui parlais au téléphone, une fois ou deux par trimestre, souvent moins, ma mère me demandait : « Quand viens-tu nous voir ? » J'éludais, prétextant que j'étais très occupé, et lui promettais de venir bientôt. Mais je n'en avais pas l'intention. J'avais fui ma famille et n'éprouvais aucune envie de la retrouver.

Je n'ai donc connu Muizon que tout récemment. C'était conforme à l'idée que j'en avais conçu : un exemple caricatural de « rurbanisation », un de ces espaces semi-urbains en plein milieu des champs, dont on ne sait plus très bien s'ils appartiennent encore à la campagne ou s'ils sont devenus, au fil des ans, ce qu'il convient d'appeler une banlieue. Au début des années 1950, ai-je appris depuis lors, le nombre d'habitants ne dépassait pas la cinquantaine,

11

regroupés autour d'une église dont certains éléments subsistent du XIIe siècle, malgré les guerres qui dévastèrent, par vagues toujours recommencées, le nord-est de la France, cette région au « statut particulier », selon les mots de Claude Simon, où les noms de villes et de villages semblent synonymes de « batailles » et de « camps retranchés », de « sourdes canonnades » et de « vastes cimetières[1] ». Aujourd'hui, ils sont plus de deux mille à y vivre, entre, d'un côté, la Route du champagne qui commence à sinuer non loin de là dans un paysage de coteaux couverts de vignes et, de l'autre, une zone industrielle plutôt sinistre, dans les faubourgs de Reims, que l'on rejoint après 15 ou 20 minutes de voiture. Des rues ont été créées, le long desquelles s'alignent des maisons semblables les unes aux autres et accolées deux par deux. Ce sont, pour la plupart, des logements sociaux : leurs locataires ne sont pas des gens riches, loin s'en faut. Pendant près de vingt ans, mes parents vécurent là sans que je me décide à faire le déplacement. Je ne vins dans cette bourgade – comment désigner un tel endroit ? – et dans leur maisonnette qu'après que mon père l'eut quittée pour être installé par ma mère dans une clinique accueillant des personnes frappées par la maladie d'Alzheimer, d'où il n'allait plus sortir. Elle avait retardé ce moment le plus longtemps possible, mais, épuisée et effrayée par ses soudains accès de violence – un jour, il avait pris un couteau de cuisine et s'était précipité sur elle –, elle avait fini par se rendre à l'évidence : il n'y avait pas d'autre solution. Dès qu'il fut absent, il me devint possible d'entreprendre ce voyage ou plutôt

1. Claude Simon, *Le Jardin des plantes*, Paris, Minuit, 1997, p. 196-197.

ce processus de retour auquel je n'avais pu me résoudre auparavant. De retrouver cette « contrée de moi-même », comme aurait dit Genet, d'où j'avais tant cherché à m'évader : un espace social que j'avais mis à distance, un espace mental contre lequel je m'étais construit, mais qui n'en constituait pas moins une part essentielle de mon être. Je vins voir ma mère. Ce fut le début d'une réconciliation avec elle. Ou, plus exactement, d'une réconciliation avec moi-même, avec toute une part de moi-même que j'avais refusée, rejetée, reniée.

Ma mère me parla beaucoup au cours des quelques visites que je lui rendis dans les mois qui suivirent. D'elle, de son enfance, de son adolescence, de son existence de femme mariée… Elle me parla de mon père aussi, de leur rencontre, de leur relation, des existences qu'ils avaient menées, de la dureté des métiers qu'ils avaient exercés. Elle voulait tout me dire et son verbe s'emballait, intarissable. C'était comme si elle avait eu à cœur de rattraper le temps perdu, de gommer d'un coup la tristesse qu'avaient représentée pour elle les conversations que nous n'avions pas eues. Je l'écoutais, en buvant du café, assis en face d'elle. Avec attention quand elle se racontait elle-même ; avec lassitude et ennui quand elle me détaillait les faits et gestes de ses petits-enfants, mes neveux, que je n'avais jamais vus et auxquels je ne m'intéressais guère. Un lien se recréait entre nous. Quelque chose se réparait en moi. Je voyais à quel point mon éloignement avait été difficile à vivre pour elle. Je compris qu'elle en avait souffert. Qu'en avait-il été pour moi, qui l'avais pourtant décidé ? N'avais-je pas souffert d'une tout autre façon, selon le schéma freudien d'une « mélancolie » liée au deuil indépassable des possibilités que l'on a écartées, des identifications que l'on a repoussées? Elles survivent dans le moi comme l'un de ses éléments constitutifs. Ce à quoi l'on a été arraché ou ce à quoi l'on a voulu s'arracher continue d'être partie intégrante de ce que l'on est. Sans doute les mots de la sociologie conviendraient-ils mieux que ceux de la psychanalyse pour décrire ce que la métaphore du deuil et de la mélancolie permet d'évoquer en termes simples, mais inadéquats et trompeurs : les traces de ce que l'on a été dans l'enfance, de la manière dont on a été socialisé, perdurent même quand les conditions dans lesquelles on vit à l'âge adulte ont changé, même quand on a désiré s'éloigner de ce passé, et, par conséquent, le retour dans le milieu d'où l'on vient – et dont on est sorti, dans tous les sens du terme – est toujours un retour sur soi et un retour à soi, des retrouvailles avec un soi-même autant conservé que nié. Affleure alors à la conscience, en de telles circonstances, ce dont on aurait aimé se croire libéré, mais dont on n'ignore pas que cela structure notre personnalité, à savoir le malaise produit par l'appartenance à deux mondes différents, séparés l'un de l'autre par tant de distance qu'ils paraissent inconciliables, mais qui coexistent néanmoins dans tout ce que l'on est; une mélancolie liée à l'« *habitus* clivé », pour reprendre ce beau et puissant concept de Bourdieu. C'est bizarrement au moment où l'on entreprend de le surmonter, ou du moins de l'apaiser, que ce malaise souterrain et diffus revient avec force à la surface et que la mélancolie redouble d'intensité. Ces sentiments avaient toujours été présents, et l'on découvre alors, ou plutôt l'on redécouvre, qu'ils étaient là, tapis au fond de nous-même et agissant en nous et sur nous. Mais

14

peut-on vraiment surmonter ce malaise ? Apaiser la mélancolie ?

Quand je l'appelai, le 31 décembre de cette année-là, peu après minuit, pour lui souhaiter une bonne année, ma mère me dit : « La clinique vient de me téléphoner. Ton père est mort il y a une heure. » Je ne l'aimais pas. Je ne l'avais jamais aimé. Je savais que ses mois, puis ses jours étaient comptés et je n'avais pas cherché à le revoir une dernière fois. À quoi bon, d'ailleurs, puisqu'il ne m'aurait pas reconnu ? Mais cela faisait une éternité, déjà, que nous ne nous reconnaissions plus. Le fossé qui s'était creusé entre nous quand j'étais encore adolescent s'était élargi au fil des années, et nous étions devenus des étrangers l'un pour l'autre. Rien ne nous attachait, ne nous rattachait l'un à l'autre. Du moins le croyais-je, ou avais-je tant souhaité le croire, puisque je pensais qu'on pouvait vivre sa vie à l'écart de sa famille et s'inventer soi-même en tournant le dos à son passé et à ceux qui l'avaient peuplé.

Sur le moment, je considérai que, pour ma mère, c'était une délivrance. Mon père s'enfonçait chaque jour plus avant dans un état de délabrement physique et intellectuel qui ne pouvait que s'aggraver. C'était une chute inexorable. Il n'allait pas guérir, c'était certain. Alternaient donc les crises de démence, au cours desquelles il se battait avec les infirmières, et de longues périodes de torpeur, provoquées sans doute par les médicaments qu'on lui administrait après ces épisodes agités, et pendant lesquelles il ne parlait plus, ne marchait plus, ne se nourrissait plus. De toute façon, il ne se souvenait de rien ni de personne : lui rendre visite avait représenté de dures

15

épreuves pour ses sœurs (deux d'entre elles avaient eu peur et n'étaient plus revenues après la première fois) et pour mes trois frères. De la part de ma mère, qui devait parcourir vingt kilomètres en voiture, cela relevait d'un dévouement qui m'étonnait, tant je savais qu'elle n'éprouvait à son égard – et, du plus loin que je me souvienne, cela avait toujours été le cas – que des sentiments hostiles, un mélange de dégoût et de haine. Non, les mots ne sont pas trop forts : de dégoût et de haine. Mais elle s'en faisait un devoir. C'était l'image d'elle-même qui était en jeu : « Je ne peux tout de même pas l'abandonner comme ça », répétait-elle quand je lui demandais pourquoi elle persistait à se rendre tous les jours à la clinique, alors qu'il ne savait plus qui elle était. Elle avait affiché sur la porte de sa chambre une photo où ils figuraient tous les deux, et elle la lui montrait régulièrement : « Tu sais qui c'est ? » Il répondait : « C'est la dame qui s'occupe de moi. »

Deux ou trois ans plus tôt, l'annonce de la maladie de mon père m'avait plongé dans une profonde angoisse. Oh, pas tellement pour lui – il était trop tard et, de toute façon, il ne m'inspirait aucun sentiment, pas même de compassion. Mais pour moi, égoïstement, était-ce héréditaire ? Mon tour allait-il venir ? Je me mis à réciter des poèmes ou des scènes de tragédie que j'avais sus par cœur pour vérifier si je les connaissais toujours : « Songe, songe, Céphise, à cette nuit cruelle qui fut pour tout un peuple une nuit éternelle… » ; « Voici des fruits, des fleurs, des feuilles et des branches/ Et puis voici mon cœur… » ; « L'espace à soi pareil, qu'il s'accroisse ou se nie/ Roule dans cet ennui… ». Dès qu'un vers m'échappait, je me disais : « Voilà, c'est le début. » Cette obsession ne m'a plus quitté : ma mémoire achoppe-t-elle sur un nom, une date, un numéro de téléphone… qu'aussitôt une inquiétude s'éveille en moi. Je vois partout des signes annonciateurs ; je les guette autant que je les redoute. En quelque sorte, ma vie quotidienne est désormais hantée par le spectre d'Alzheimer. Un spectre qui vient du passé pour m'effrayer en me montrant l'à-venir. C'est ainsi que mon père continue d'être présent dans mon existence. Étrange façon, pour une personne disparue, de survivre à l'intérieur du cerveau – le lieu même où la menace est localisée – d'un de ses fils. Lacan parle fort bien, dans un de ses *Séminaires*, de cette ouverture sur l'angoisse que produit, chez l'enfant masculin en tout cas, la disparition du père : il se retrouve seul, en première ligne, devant la mort. Alzheimer ajoute une crainte quotidienne à cette angoisse ontologique : on épie les indices, on les interprète.

Mais ma vie n'est pas seulement hantée par l'avenir : elle l'est aussi par les fantômes de mon propre passé, qui surgirent dès après le décès de celui qui incarnait tout ce que j'avais voulu quitter, tout ce avec quoi j'avais voulu rompre, et qui, assurément, avait constitué pour moi une sorte de modèle social négatif, un contre-repère dans le travail que j'avais accompli pour me créer moi-même. Dans les jours qui suivirent, je me mis à repenser à mon enfance, à mon adolescence, à toutes les raisons qui m'avaient conduit à détester cet homme qui venait de s'éteindre et dont la disparition et l'émotion inattendue qu'elle suscitait en moi réveillaient dans ma mémoire tant d'images que je croyais avoir oubliées (mais peut-être avais-je toujours su que je ne les avais pas oubliées, même

17

les avais – consciemment – refoulées). Cela survient dans tout deuil, me dira-t-on, et peut-être même cela en constitue-t-il l'une des caractéristiques essentielles et universelles, surtout quand il s'agit des parents. Mais, dans ce cas, ce fut une façon étrange de l'éprouver : un deuil dans lequel la volonté de comprendre celui qui venait de disparaître, et de me comprendre moi-même, qui lui survivais, l'emportait sur la tristesse. D'autres pertes, auparavant, m'avaient atteint avec plus de violence et plongé dans une détresse plus profonde. Il s'agissait d'amis, et donc de liens électifs dont l'anéantissement brutal privait ma vie de ce qui en tissait la trame quotidienne. Au contraire de ces relations choisies dont la force et la solidité tenaient à ce que les protagonistes désiraient ardemment les reconduire, d'où l'effet d'effondrement que provoquait leur interruption, ce qui m'unissait à mon père me paraissait relever du seul lien biologique et juridique : il m'avait engendré, je portais son nom, et, pour le reste, il ne comptait pas pour moi. Quand je lis les notes dans lesquelles Barthes consigna au jour le jour le désespoir qui s'abattit sur lui à la mort de sa mère et l'insurmontable souffrance qui transforma son être, je mesure à quel point les sentiments qui s'emparèrent de moi à la mort de mon père diffèrent de ce désespoir et de cette affliction. « Je ne suis pas *en deuil*. J'ai du chagrin », écrit-il pour exprimer son refus d'une approche psychanalytique de ce qui se passe après la disparition d'un être cher[1]. Qu'en fut-il pour moi ? Comme lui, je pourrais dire que je n'étais pas « en deuil » (au sens freudien d'un « travail » qui s'accomplit dans une tempo-

---

1. Roland Barthes, *Journal de deuil*, Paris, Seuil, 2009, p. 83.

ralité psychique où la douleur initiale s'efface progressivement). Mais je ne ressentais pas non plus cet ineffaçable chagrin sur lequel le temps ne saurait avoir de prise. Quoi, alors ? Un désarroi, plutôt, provoqué par une interrogation indissociablement personnelle et politique sur les destins sociaux, sur la division de la société en classes, sur l'effet des déterminismes sociaux dans la constitution des subjectivités, sur les psychologies individuelles, sur les rapports entre les individus.

Je n'ai pas assisté aux obsèques de mon père. Je n'avais pas envie de revoir mes frères, avec qui je n'avais plus aucun contact depuis plus de trente ans. Je ne connaissais d'eux, désormais, que les photos encadrées qui se trouvaient un peu partout dans la maison de Muizon. Je savais donc à quoi ils ressemblaient, ce qu'ils étaient physiquement devenus. Mais comment les retrouver après tant de temps, fût-ce en de telles circonstances ? « Comme il a changé… », aurions-nous pensé les uns des autres, cherchant désespérément à déceler sous nos traits d'aujourd'hui ce que nous étions hier ou plutôt avant-hier, quand nous étions des frères, c'est-à-dire quand nous étions jeunes. Le lendemain, je suis allé passer l'après-midi avec ma mère. Nous sommes restés plusieurs heures à bavarder, assis dans les fauteuils du salon. Elle a sorti d'une armoire des boîtes pleines de photos. Il y en avait plusieurs de moi, bien sûr, petit garçon, adolescent… De mes frères, aussi… J'avais à nouveau sous les yeux – mais n'étaient-ils pas encore gravés dans mon esprit et dans ma chair ? – ce milieu ouvrier dans lequel j'avais vécu, et cette misère ouvrière qui se lit dans la physionomie des habitations à l'arrière-plan,

19

dans les intérieurs, les vêtements, les corps eux-mêmes. Il est toujours vertigineux de voir à quel point les corps photographiés du passé, peut-être plus encore que ceux en action et en situation devant nous, se présentent immédiatement au regard comme des corps sociaux, des corps de classe. Et de constater à quel point également la photographie comme « souvenir », en ramenant un individu – moi, en l'occurrence – à son passé familial, l'ancre dans son passé social. La sphère du privé, et même de l'intime, telle qu'elle ressurgit dans de vieux clichés, nous réinscrit dans la case du monde social d'où nous venons, dans des lieux marqués par l'appartenance de classe, dans une topographie où ce qui semble ressortir aux relations les plus fondamentalement personnelles nous situe dans une histoire et une géographie collectives (comme si la généalogie individuelle était inséparable d'une archéologie ou d'une topologie sociales que chacun porte en soi comme l'une de ses vérités les plus profondes, si ce n'est la plus consciente).

2

Une question avait commencé de m'obséder quelque temps plus tôt, depuis le pas franchi du retour à Reims. Elle allait se formuler de façon plus nette et plus précise encore dans les jours qui suivraient cet après-midi passé à regarder des photos avec ma mère, au lendemain des obsèques de mon père : « Pourquoi, moi qui ai tant écrit sur les mécanismes de la domination, n'ai-je jamais écrit sur la domination sociale ? » Et aussi : « Pourquoi, moi qui ai accordé tant d'importance au sentiment de la honte dans les processus de l'assujettissement et de la subjectivation, n'ai-je à peu près rien écrit sur la honte sociale ? » Je devrais même énoncer la question en ces termes : « Pourquoi, moi qui ai tant éprouvé la honte sociale, la honte du milieu d'où je venais quand, une fois installé à Paris, j'ai connu des gens qui venaient de milieux sociaux si différents du mien, à qui souvent je mentais plus ou moins sur mes origines de classe, ou devant lesquels je me sentais profondément gêné d'avouer ces origines, pourquoi donc n'ai-je jamais eu l'idée d'aborder ce problème dans un livre ou un article ? » Formulons-le ainsi : il me fut plus facile d'écrire sur la honte sexuelle que sur la honte sociale. Comme si

21

étudier la constitution du sujet infériorisé et celle, concomitante, du rapport complexe entre le silence sur soi et
l'« aveu » de soi était aujourd'hui valorisé et valorisant,
et même appelé par les cadres contemporains de la politique, quand il s'agit de la sexualité, mais fort difficile, et
ne bénéficiant à peu près d'aucun soutien dans les catégories du discours public, quand il s'agit de l'origine sociale
populaire. Et je voudrais comprendre pourquoi. La fuite
vers la grande ville, vers la capitale, pour vivre son homosexualité est un parcours fort classique et fort commun
pour un jeune gay. Le chapitre que j'ai consacré à ce phénomène dans *Réflexions sur la question gay* peut se lire – de
même que toute la première partie de ce livre, d'ailleurs –
comme une autobiographie transfigurée en analyse historique et théorique, ou, si l'on préfère, comme une analyse
historique et théorique ancrée dans une expérience personnelle[1]. Mais l'« autobiographie » est partielle. Et une
autre analyse historique et théorique eût été possible à partir d'un regard réflexif sur ma trajectoire. Car la décision
de quitter la ville où je suis né et où j'avais passé toute
mon adolescence pour aller vivre à Paris, quand j'avais 20
ans, signifia en même temps pour moi un changement
progressif de milieu social. Et, par voie de conséquence,
il ne serait pas exagéré d'affirmer que la sortie du placard
sexuel, le désir d'assumer et d'affirmer mon homosexualité, coïncidèrent dans mon parcours personnel avec
l'entrée dans ce que je pourrais décrire comme un placard
social, c'est-à-dire dans les contraintes imposées par une

---

1. Cf. Didier Eribon, *Réflexions sur la question gay*, Paris, Fayard, 1999.

autre forme de dissimulation, un autre type de personnalité dissociée ou de double conscience (avec les mêmes mécanismes que ceux, bien connus, du placard sexuel : les subterfuges pour brouiller les pistes, les très rares amis qui savent mais gardent le secret, les différents registres de discours en fonction des situations et des interlocuteurs, le contrôle permanent de soi, de ses gestes, de ses intonations, de ses expressions, pour ne rien laisser transparaître, pour ne pas se « trahir » soi-même, etc.). Quand j'entrepris d'écrire sur l'assujettissement, après quelques travaux dans le domaine de l'histoire des idées (et notamment mes deux livres sur Foucault), c'est sur mon passé en tant que gay que je choisis de prendre appui, et c'est sur les ressorts de l'infériorisation et de l'« abjection » (comment on est « abjecté » par le monde dans lequel on vit) de ceux qui contreviennent aux lois de la normalité sexuelle que je choisis de réfléchir, en laissant de côté tout ce qui en moi, dans ma propre existence, aurait pu, aurait dû, me conduire à orienter aussi mon regard sur les rapports de classe, la domination de classe et les processus de la subjectivation en termes d'appartenance sociale et d'infériorisation des classes populaires. Certes, je ne négligeai pas ces questions dans *Réflexions sur la question gay*, dans *Une morale du minoritaire* ou dans *Hérésies*. L'ambition de ces livres dépasse largement le cadre d'analyse délimité qu'ils se sont donné. Je voulais y esquisser une anthropologie de la honte et construire, à partir de là, une théorie de la domination et de la résistance, de l'assujettissement et de la subjectivation. C'est sans doute pourquoi, d'ailleurs, dans *Une morale du minoritaire* (dont le sous-titre est

23

Variations sur un thème de Jean Genet), je ne cesse de rapprocher les élaborations théoriques de Genet, Jouhandeau et quelques autres auteurs sur l'infériorisation sexuelle de celles de Bourdieu sur l'infériorisation sociale ou de celles de Fanon, Baldwin et Chamoiseau sur l'infériorisation raciale et coloniale. Il n'en reste pas moins que ces dimensions n'interviennent au fil de mes démonstrations que comme des paramètres dans un effort pour comprendre ce que représente et emporte le fait d'appartenir à une minorité sexuelle. Je mobilise des approches produites dans d'autres contextes, j'essaie d'élargir la portée de mes analyses, mais ce sont toujours des éléments seconds, des suppléments – valant tantôt soutènement, tantôt extension. Comme je l'ai souligné dans la préface à l'édition de langue anglaise de *Réflexions...*, j'ai voulu transposer la notion d'*habitus* de classe forgée par Pierre Bourdieu à la question des *habitus* sexuels : les formes d'incorporation des structures de l'ordre sexuel produisent-elles des *habitus* sexuels comme les formes d'incorporation des structures de l'ordre social produisent des *habitus* de classe ? Et si toute tentative pour apporter des réponses à un tel problème doit évidemment affronter la question de l'articulation entre les *habitus* sexuels et les *habitus* de classe, mon livre était consacré à la subjectivation sexuelle et non à la subjectivation sociale[1].

---

1. J'ai publié le texte français de cette préface dans mon recueil intitulé *Hérésies. Essais sur la théorie de la sexualité* (Paris, Fayard, 2003). Pour la version anglaise, voir *Insult and the Making of the Gay Self*, Durham, NC, Duke University Press, 2004.

En retournant à Reims, j'étais confronté à cette question, insistante et déniée (du moins largement déniée dans ce que j'ai écrit aussi bien que dans ma vie) : en prenant comme point de départ de ma démarche théorique – donc en installant comme cadre pour me penser moi-même, penser mon passé et mon présent – l'idée, en apparence évidente, que ma rupture totale avec ma famille pouvait s'expliquer par mon homosexualité, par l'homophobie foncière de mon père et celle du milieu dans lequel j'avais vécu, ne m'étais-je pas donné, en même temps – et aussi profondément vrai que cela ait pu être –, de nobles et incontestables raisons pour éviter de penser qu'il s'agissait tout autant d'une rupture de classe avec mon milieu d'origine ?

Dans ma vie, en suivant le parcours typique du gay qui va vers la ville, s'inscrit dans de nouveaux réseaux de sociabilité, fait l'apprentissage de lui-même comme gay en découvrant le monde gay et en s'inventant comme gay à partir de cette découverte, j'ai en même temps suivi un autre parcours, social cette fois : l'itinéraire de ceux que l'on désigne habituellement comme des « transfuges de classe ». Et je fus, à n'en pas douter, un « transfuge » dont le souci, plus ou moins permanent et plus ou moins conscient, aura été de mettre à distance sa classe d'origine, d'échapper au milieu social de son enfance et de son adolescence.

Certes, je continuais d'être solidaire avec ce qu'avait été le monde de ma jeunesse, dans la mesure où je n'en vins jamais à communier dans les valeurs de la classe dominante. Je ressentais toujours de la gêne, voire de la haine, lorsque j'entendais autour de moi parler avec mépris ou désinvolture des gens du peuple, de leur mode de vie, de leurs manières d'être. Après tout, c'est de là que je venais. Et de la haine immédiate aussi devant l'hostilité que les nantis et les installés expriment en permanence à l'égard des mouvements sociaux, des grèves, des protestations, des résistances populaires. Certains réflexes de classe subsistent malgré tous les efforts, et notamment les efforts pour se changer soi-même, par lesquels on s'est détaché du milieu d'origine. Et, s'il m'arriva plus d'une fois de me laisser aller, dans ma vie quotidienne, à des regards ou à des jugements hâtifs et dédaigneux qui ressortissaient à une perception du monde et des autres façonnée par ce qu'il faut bien appeler un racisme de classe, mes réactions ressemblent néanmoins, le plus souvent, à celles du personnage d'Antoine Bloyé, dans lequel Nizan a peint le portrait de son père, ancien ouvrier devenu bourgeois : les propos péjoratifs sur la classe ouvrière tenus par les gens qu'il côtoie dans sa vie d'adulte et qui constituent désormais le milieu auquel il appartient l'atteignent encore comme si c'était lui qui était visé en même temps que son milieu d'autrefois : « Comment prendre part à leurs jugements sans être infidèle à sa propre enfance[1] ? » Chaque fois que je fus « infidèle » à mon enfance, en prenant part à des jugements dépréciatifs, une sourde mauvaise

---

1. Paul Nizan, *Antoine Bloyé* [1933], Paris, Grasset, « Les Cahiers rouges », 2005, p. 207-209.

conscience ne manqua jamais, tôt ou tard, de se manifester en moi.

Comme était grande, pourtant, la distance qui me séparait désormais de cet univers qui avait été le mien et dont j'avais, avec l'énergie du désespoir, voulu ne plus faire partie. Je dois avouer que, tout en me sentant toujours proche et solidaire des luttes populaires, tout en restant fidèle à des valeurs politiques et émotionnelles qui font que je vibre quand je vois un documentaire sur les grandes grèves de 1936 ou de 1968, j'éprouvais au plus profond de moi-même un rejet du milieu ouvrier tel qu'il est réellement. La « classe mobilisée » ou perçue comme mobilisable et donc idéalisée, héroïsée même, diffère des individus qui la composent – ou la composent potentiellement. Et je détestais de plus en plus me retrouver au contact immédiat de ce qu'étaient – de ce que sont – les classes populaires. Dans les premiers temps de mon installation à Paris, quand je continuais de voir mes parents, qui habitaient toujours à Reims, dans la cité HLM où j'avais vécu toute mon adolescence – ils n'allaient la quitter pour s'installer à Muizon que bien des années après –, ou quand je déjeunais avec eux le dimanche, chez ma grand-mère qui habitait Paris et à qui ils venaient rendre visite de temps à autre, une gêne difficile à cerner et à décrire s'emparait de moi devant des façons de parler et des manières d'être si différentes de celles des milieux dans lesquels j'évoluais désormais, devant des préoccupations si éloignées des miennes, devant des propos où un racisme primaire et obsessionnel se donnait libre cours

27

dans chaque conversation, sans que l'on sache très bien pourquoi ou comment tout sujet abordé, quel qu'il soit, y ramenait inéluctablement, etc. Cela s'apparentait pour moi à une corvée, de plus en plus pénible à mesure que je me changeais en quelqu'un d'autre. J'ai reconnu très précisément ce que j'ai vécu à ce moment-là en lisant les livres qu'Annie Ernaux a consacrés à ses parents et à la « distance de classe » qui la séparait d'eux. Elle y évoque à merveille ce malaise que l'on ressent lorsqu'on *revient* chez ses parents après avoir quitté non seulement le domicile familial mais aussi la famille et le monde auxquels, malgré tout, on continue d'appartenir, et ce sentiment déroutant d'être à la fois chez soi et dans un univers étranger [1].

Pour être franc, en ce qui me concerne, cela me devint presque impossible au bout de quelques années.

Deux parcours, donc. Imbriqués l'un dans l'autre. Deux trajectoires interdépendantes de réinvention de moi-même : l'une en regard de l'ordre sexuel, l'autre en regard de l'ordre social. Pourtant, quand il s'est agi d'écrire, c'est la première que je décidai d'analyser, celle qui a trait à l'oppression sexuelle, et non la seconde, celle qui a trait à la domination sociale, redoublant peut-être par le geste de l'écriture théorique ce qu'avait été la trahison existentielle. Et c'est donc un type d'implication personnelle du sujet qui écrit dans ce qu'il écrit que j'adoptai, plutôt qu'un autre, et même à peu près à l'exclusion d'un autre.

---

1. Annie Ernaux, *La Place*, *Une femme* et *La Honte*, Paris, Gallimard, 1983, 1987 et 1997.

Ce choix constitua non seulement une manière de me définir et de me subjectiver dans le temps présent, mais aussi un choix de mon passé, de l'enfant et de l'adolescent que j'avais été : un enfant gay, un adolescent gay, et non un fils d'ouvrier. Et pourtant !

3

« C'est qui ? » ai-je demandé à ma mère. « Mais… c'est ton père, me répondit-elle, tu ne le reconnais pas ? C'est parce que tu ne l'avais pas vu depuis longtemps. » En effet, je n'avais pas reconnu mon père sur cette photo, prise quelque temps avant sa mort. Amaigri, recroquevillé sur lui-même, le regard perdu, il avait affreusement vieilli, et il me fallut quelques minutes pour faire coïncider l'image de ce corps affaibli avec l'homme que j'avais connu, vociférant à tout propos, stupide et violent, et qui m'avait inspiré tant de mépris. En cet instant, j'éprouvai un certain trouble, comprenant que, dans les mois, les années peut-être, qui avaient précédé sa mort, il avait cessé d'être la personne que j'avais détestée pour devenir cet être pathétique : un ancien tyran domestique déchu, inoffensif et sans forces, vaincu par l'âge et la maladie.

En relisant le beau texte de James Baldwin sur la mort de son père, une remarque m'a frappé. Il raconte qu'il avait repoussé le plus longtemps possible une visite à celui-ci, qu'il savait pourtant très malade. Et il commente : « J'avais dit à ma mère que c'était parce que je le haïssais.

31

Mais ce n'était pas vrai. La vérité, c'est que je l'*avais haï* et que je tenais à conserver cette haine. Je ne voulais pas voir la ruine qu'il était devenu : ce n'est pas une ruine que j'avais haïe. »

Et plus frappante encore m'a paru l'explication qu'il propose : « J'imagine que l'une des raisons pour lesquelles les gens s'accrochent de manière si tenace à leurs haines, c'est qu'ils sentent bien que, une fois la haine disparue, ils se retrouveront confrontés à la douleur[1]. »

La douleur, ou plutôt, en ce qui me concerne – car l'extinction de la haine ne fit naître en moi aucune douleur –, l'impérieuse obligation de m'interroger sur moi-même, l'irrépressible désir de remonter dans le temps afin de comprendre les raisons pour lesquelles il me fut si difficile d'avoir le moindre échange avec celui que, au fond, je n'ai guère connu. Quand j'essaie de réfléchir, je me dis que je ne sais pas grand-chose de mon père. Que pensait-il ? Oui, que pensait-il du monde dans lequel il vivait ? De lui-même ? Et des autres ? Comment percevait-il les choses de la vie ? Les choses de sa vie ? Et notamment nos relations, de plus en plus tendues, puis de plus en plus distantes, puis notre absence de relations ? Je fus stupéfait, il y a peu, d'apprendre que, me voyant un jour dans une émission de télévision, il s'était mis à pleurer, submergé par l'émotion. Constater qu'un de ses fils avait atteint à ce qui représentait à ses yeux une réussite sociale à peine imaginable l'avait bouleversé. Il était prêt, lui que j'avais connu si homophobe, à braver le lendemain le regard des

1. James Baldwin, « Notes of a Native Son » [1955], in *Notes of a Native Son* [1964], Londres et New York, Penguin Books, 1995, p. 98.

voisins et des habitants du village et même à défendre, en cas de besoin, ce qu'il considérait comme son honneur et celui de sa famille. Je présentais, ce soir-là, mon livre *Réflexions sur la question gay*, et, redoutant les commentaires et les sarcasmes que cela pourrait déclencher, il avait déclaré à ma mère : « Si quelqu'un me fait une remarque, je lui fous mon poing sur la gueule. »

Je n'eus jamais – jamais! – de conversation avec lui. Il en était incapable (du moins avec moi, et moi avec lui). Il est trop tard pour le déplorer. Mais il y a tant de questions que j'aimerais lui poser aujourd'hui, ne serait-ce que pour écrire le présent livre. Là encore, je suis étonné de lire cette phrase dans le récit de Baldwin : « À sa mort, je m'aperçus que je ne lui avais pour ainsi dire jamais parlé. Quand il fut mort depuis un certain temps, je commençai de le regretter. » Puis, évoquant le passé de son père, qui avait appartenu à la première génération d'hommes libres (sa propre mère était née à l'époque de l'esclavage), il ajoute : « Il affirmait être fier d'être noir, mais cela avait été aussi la cause de nombreuses humiliations, et avait fixé de sinistres frontières à sa vie[1]. » Comment eût-il été possible, dès lors, pour Baldwin de ne pas se reprocher, à un moment ou à un autre, d'avoir abandonné sa famille, d'avoir trahi les siens? Sa mère n'avait pas compris qu'il les quitte, qu'il aille vivre loin d'eux, d'abord à Greenwich Village, pour fréquenter les milieux littéraires, puis en France. Lui eût-il été possible de rester? Non, bien sûr! Il avait dû partir, laisser derrière lui Harlem, l'étroitesse d'esprit et l'hostilité bigote de son père à la culture et à la lit-

---

1. *Ibid.*, p. 85-86.

33

térature, l'atmosphère étouffante de la maison familiale…
pour pouvoir devenir écrivain autant que pour vivre librement son homosexualité (et affronter dans son œuvre la
double question de ce que cela signifie d'être noir et de ce
que cela signifie d'être gay). Arriva pourtant le moment
où le besoin de « revenir » s'imposa à lui, même si ce fut
après la mort de son père (en réalité, son beau-père, mais
qui l'avait élevé depuis son plus jeune âge). Le texte qu'il
écrit pour lui rendre hommage peut donc s'interpréter
comme le moyen d'accomplir ou, en tout cas, d'entamer
ce « retour » mental en essayant de comprendre qui était
ce personnage qu'il avait tant détesté et qu'il avait tant
voulu fuir. Et, peut-être, en s'engageant dans ce processus d'intellection historique et politique, devenir un jour
capable de se réapproprier émotionnellement son propre
passé, et parvenir non seulement à se comprendre lui-
même mais surtout à s'accepter lui-même. On conçoit
que, obsédé par cette question, il ait affirmé avec tant de
force dans une interview que « éviter le voyage de retour,
c'est s'éviter soi-même, éviter la "vie"[1] ».

Comme Baldwin à propos du sien, j'en vins à penser
que tout ce qu'avait été mon père, c'est-à-dire tout ce que
j'avais à lui reprocher, tout ce pourquoi je l'avais détesté,
avait été façonné par la violence du monde social. Il avait
été fier d'appartenir à la classe ouvrière. Plus tard, il avait
été fier de s'élever, si peu que ce soit, au-dessus de cette
condition. Mais cela avait été aussi la cause de nombreuses

---

1. « To avoid the journey back is to avoid the Self, to avoid "life" » (James
Baldwin, *Conversations*, éd. par Fred L. Standley et Louis H. Pratt, Jackson,
University Press of Mississippi, 1989, p. 60). Sur tous ces points, voir David
Leeming, *James Baldwin : A Biography*, New York, Alfred A. Knopf, 1994.

humiliations et avait fixé de bien « sinistres limites » à sa vie. Et gravé en lui une sorte de folie à laquelle il ne parvint jamais à échapper et qui le rendait à peu près inapte aux relations avec les autres.

Comme Baldwin, dans un contexte fort différent, je suis certain que mon père portait en lui le poids d'une histoire écrasante qui ne pouvait que produire des dégâts psychiques profonds chez ceux qui l'ont vécue. La vie de mon père, sa personnalité, sa subjectivité furent déterminées par une double inscription dans un lieu et dans un temps dont la dureté et les contraintes se démultiplièrent en se combinant. La clé de son être : où et quand il est né. C'est-à-dire l'époque et la région de l'espace social où se décida ce qu'allait être sa place dans le monde, son apprentissage du monde, son rapport au monde. La semi-folie de mon père et l'incapacité relationnelle qui en était la conséquence n'avaient, en dernier ressort, rien de psychologique, au sens d'un trait de caractère individuel : elles étaient l'effet de cet être-au-monde si précisément situé.

Exactement comme la mère de Baldwin, la mienne m'a dit : « C'est quand même lui qui a travaillé dur pour vous nourrir. » Puis elle m'a parlé de lui, en laissant de côté ses propres griefs : « Ne le juge pas trop sévèrement, il n'a pas eu une vie facile. » Il était né en 1929, l'aîné d'une famille qui allait devenir très nombreuse : sa mère eut 12 enfants. On a du mal à imaginer aujourd'hui ce destin des femmes asservies à la maternité : 12 enfants ! Deux d'entre eux étaient mort-nés (ou morts en très bas âge). Un autre, né sur la route pendant l'évacuation de la ville en 1940, alors que les avions allemands s'acharnaient sur les colonnes de réfugiés, était handicapé mental : parce que le cordon ombilical n'avait pu être coupé normalement, ou parce qu'il avait été blessé quand ma grand-mère s'était jetée avec lui dans le fossé pour le protéger du mitraillage, ou tout simplement faute des premiers soins nécessaires juste après la naissance – je ne sais laquelle de ces versions différentes conservées dans la mémoire familiale est la bonne… Ma grand-mère le garda toute sa vie avec elle. Pour bénéficier des allocations de l'aide sociale, indispensables à la survie économique de la famille, ai-je toujours entendu dire. Quand j'étais petit, il nous faisait peur, à mon frère et à moi. Il bavait, ne s'exprimait que par borborygmes, tendait les mains vers nous en quête d'un peu d'affection ou pour manifester la sienne, mais il n'obtenait en réponse que des mouvements de recul, quand ce n'était pas des cris ou des rebuffades. J'en suis mortifié, rétrospectivement, mais nous n'étions que des enfants, et lui un adulte dont on disait à l'époque qu'il était « anormal ». Pendant la guerre, la famille de mon père avait dû, en effet, quitter la ville, au moment de ce qu'on appela l'« exode ». Le voyage les mena loin de chez eux, dans une ferme près de Mimizan, une petite ville des Landes. Après quelques mois passés là-bas, ils revinrent à Reims dès que l'armistice fut signé. Le nord de la France était occupé par l'armée allemande (je suis né bien après la fin de la guerre, et pourtant on n'employait encore dans ma famille que le mot « Boches » pour désigner les Allemands, auxquels on vouait une haine féroce et apparemment inextinguible. Il n'était pas rare que, jusque dans les années 1970 et même après, l'on termine un repas par l'exclamation : « Encore ça que les Boches n'auront pas ! »

Et je dois bien avouer que j'ai moi-même employé plus d'une fois cette expression).

En 1940, mon père avait 11 ans et, jusqu'à l'âge de 14 ou 15 ans, pendant tout le temps que dura l'Occupation, il lui fallut aller chercher de quoi nourrir sa famille dans les villages des environs. En toute saison, qu'il vente, qu'il pleuve ou qu'il neige. Dans le froid glacial de l'hiver champenois, il parcourait à vélo parfois jusqu'à 20 kilomètres pour se procurer des pommes de terre ou d'autres denrées. Il devait s'occuper de tout, ou presque, chez lui.

Ils s'étaient installés – est-ce pendant la guerre ou au sortir de celle-ci, je ne sais pas – dans une maison assez vaste, au milieu d'un quartier où un habitat populaire avait été construit dans les années 1920 pour les familles nombreuses. Ce type de maison correspondait aux projets élaborés par un groupe d'industriels catholiques qui, au début du xxᵉ siècle, se préoccupèrent d'améliorer le logement de leurs ouvriers. Reims était une ville divisée en deux par une frontière de classe très marquée : d'un côté, la grande bourgeoisie et, de l'autre, les ouvriers pauvres. Les cercles philanthropiques issus de la première s'inquiétaient des mauvaises conditions de vie des seconds, et des conséquences néfastes qui en découlaient. La crainte de la dénatalité avait conduit à un changement profond dans la perception des « familles nombreuses » : fauteuses de désordre et productrices d'une jeunesse délinquante aux yeux des réformateurs et des démographes jusqu'à la fin du xixᵉ siècle, elles étaient devenues, au début du xxᵉ, le rempart indispensable contre la dépopulation qui menaçait la patrie d'une faiblesse alarmante face aux pays ennemis. Alors qu'elles avaient été stigmatisées et combattues

37

par les promoteurs du malthusianisme, le discours dominant – aussi bien à gauche qu'à droite – exhorta désormais à les encourager et à les valoriser, mais aussi, par conséquent, à les soutenir. La propagande nataliste s'accompagna donc de projets urbanistiques pour assurer à ces nouveaux piliers de la nation régénérée un habitat décent, qui permettrait de conjurer les dangers, depuis longtemps soulignés par la bourgeoisie réformatrice, d'une enfance ouvrière mal logée et livrée à la rue : la prolifération anarchique des mauvais garçons et des filles amorales[1].

Inspirés par ces nouvelles perspectives politiques et patriotiques, les philanthropes champenois fondèrent une société qui se consacrerait à la création d'un habitat bon marché, le « Foyer rémois », chargé de construire des « cités » offrant des logis spacieux, propres et salubres, accessibles aux familles de plus de quatre enfants, avec une chambre pour les parents, une pour les garçons, une pour les filles. Les maisons ne disposaient pas de salle de bains, mais elles avaient l'eau courante (on se lavait à tour de rôle devant l'évier de la cuisine). Le souci de l'hygiène physique ne représentait, bien sûr, qu'un aspect de ces projets urbanistiques. La question de l'hygiène morale était tout aussi importante : il s'agissait, en encourageant la natalité et les valeurs familiales, de détacher les ouvriers de la fréquentation des bistrots et de l'alcoolisme que cela favorisait. Les considérations politiques n'étaient pas absentes. La bourgeoisie pensait parvenir ainsi à enrayer

---

1. Sur tous ces points, je renvoie à Virginie de Luca Barrusse, *Les Familles nombreuses. Une question démographique, un enjeu politique (1880-1940)*, Rennes, Presses universitaires de Rennes, 2008. Voir également Remi Lenoir, *Généalogie de la morale familiale*, Paris, Seuil, 2003.

la propagande socialiste et syndicale qu'elle redoutait de voir s'épanouir dans les lieux de la sociabilité ouvrière à l'extérieur de la famille, tout comme, dans les années 1930, elle espérerait par les mêmes moyens préserver les travailleurs de l'influence communiste. Le bien-être domestique, tel que les philanthropes bourgeois l'imaginaient pour les pauvres, était donc censé détourner les travailleurs attachés à leurs foyers des tentations de la résistance politique et de ses formes d'association et d'action. En 1914, la guerre vint interrompre la mise en œuvre de ces programmes. Mais après les quatre années d'apocalypse que vécut le nord-est de la France, et notamment la région de Reims, il fallut tout reconstruire (les photos prises en 1918 de ce qu'on appela alors « la ville martyre » sont effarantes : à perte de vue, on ne distingue que des lambeaux de murs encore debout au milieu de monceaux d'éboulis, comme si un Dieu méchant s'était ingénié à rayer de la carte ce concentré d'histoire, la cathédrale et la basilique Saint-Remi ayant seules survécu, quoique sévèrement endommagées, au déluge de fer et de feu qui s'était abattu). Grâce à l'aide américaine, les urbanistes et les architectes firent surgir de ces ruines une ville nouvelle, aux pourtours de laquelle ils dessinèrent les fameuses « cités-jardins », ensembles de maisons de « style régionaliste » (alsacien, en réalité, je crois bien), tantôt isolées, tantôt mitoyennes, toutes dotées d'un jardin et installées le long de rues assez larges entrecoupées de places arborées[1].

---

1. Cf. Alain Coscia-Moranne, *Reims, un laboratoire pour l'habitat. Des cités-jardins aux quartiers-jardins*, Reims, CRDP Champagne-Ardenne, 2005, et Delphine Henry, *Chemin vert. L'œuvre d'éducation populaire dans une cité-jardin emblématique, Reims 1919-1939*, Reims, CRDP Champagne-

C'est dans l'une de ces cités que mes grands-parents s'installèrent pendant ou après la Seconde Guerre mondiale. Quand j'étais enfant, vers la fin des années 1950 et au début des années 1960, le décor rêvé, puis créé par les philanthropes s'était beaucoup dégradé : mal entretenue, la « cité-jardin » du Foyer rémois où vivaient encore mes grands-parents et leurs derniers enfants semblait lépreuse, rongée par la misère qu'elle avait pour fonction d'abriter et qui se lisait partout. C'était un milieu hautement pathogène, où se développaient, en effet, bien des pathologies sociales. Statistiquement parlant, la dérive délinquante était l'une des voies qui se présentaient aux jeunes du quartier, comme c'est encore le cas aujourd'hui dans les espaces institués de la ségrégation urbaine et sociale – et comment ne pas être frappé par ces permanences historiques ? Un des frères de mon père devint voleur, fit de la prison et finit par être « interdit de séjour » à Reims ; on le voyait surgir, de temps à autre, se cachant, à la nuit tombée, pour voir ses parents ou demander un peu d'argent à ses frères et sœurs. Il avait disparu de ma vie et de ma mémoire depuis longtemps lorsque j'appris par ma mère que, devenu clochard, il était mort dans la rue. Il avait été marin dans sa jeunesse (il avait accompli son service militaire obligatoire dans la marine et s'y était ensuite engagé durablement, avant d'en être chassé en raison de son comportement et de ses agissements – bagarres, vols, etc.) et c'est son visage, sa silhouette sur une photo de lui en costume de matelot posée sur le buffet de la salle à

Ardenne, 2002. Voir aussi Delphine Henry, *La Cité-jardin. Une histoire ancienne, une idée d'avenir*, site du CRDP Champagne-Ardenne, http://www.crdp-reims.fr/ressources/dossiers/cheminvert/expo/portail.htm.

manger, chez mes grands-parents, qui reparurent à mon esprit quand je lus pour la première fois *Querelle de Brest*. Plus largement, les illégalismes, petits ou grands, étaient la règle du quartier, comme une sorte de résistance populaire et obstinée aux lois d'un État perçu au quotidien comme l'instrument de l'ennemi de classe, dont le pouvoir se manifestait partout et tout le temps.

Conformément aux vœux initiaux de la bourgeoisie catholique et à ce qu'elle considérait comme les « valeurs morales » à promouvoir dans les classes populaires, la natalité se portait bien : il n'était pas rare que les familles qui occupaient les maisons voisines de celle de mes grands-parents comptent 14 ou 15 enfants, et jusqu'à 21, m'a assuré ma mère, bien qu'il me soit difficile d'imaginer que cela ait été possible. Mais le Parti communiste prospérait également. L'adhésion effective était relativement fréquente – chez les hommes en tout cas, dans la mesure où les femmes, tout en partageant les opinions de leurs maris, se tenaient à l'écart de la pratique militante et des « réunions de cellule ». Elle n'était pas nécessaire, cependant, à la diffusion et à la perpétuation de ce sentiment d'appartenance politique si spontanément et si étroitement lié à l'appartenance sociale. D'ailleurs, on disait simplement « le Parti ». Mon grand-père, mon père et ses frères – tout comme, du côté de ma mère, son beau-père et son demi-frère – allaient assister en groupe aux réunions publiques que tenaient à intervalles réguliers les dirigeants nationaux. Et tout le monde votait pour les candidats communistes à chaque élection, tempêtant contre la fausse gauche que représentaient les socialistes, leurs compromissions et leurs trahisons, mais leur accordant tout de même, en maugréant, leurs suffrages au deuxième tour, quand il le fallait, au nom du réalisme et de la « discipline républicaine », qu'il n'était pas question de transgresser (mais le candidat communiste était le plus souvent le mieux placé, à cette époque, et ce cas de figure se présentait donc assez rarement). L'expression « la gauche » était pourvue d'une forte signification. Il s'agissait de défendre ses intérêts et de faire entendre sa voix, et cela passait, en dehors des moments de grève ou de manifestation, par la délégation et la remise de soi aux « représentants de la classe ouvrière » et aux responsables politiques dont on acceptait par conséquent toutes les décisions et dont on répétait tous les discours. Se constituer comme sujets politiques, c'était s'en remettre aux porte-parole, par l'intermédiaire desquels les ouvriers, la « classe ouvrière » existaient en tant que groupe constitué, en tant que classe consciente d'elle-même. Et ce que l'on pensait soi-même, les valeurs dont on se réclamait, les attitudes que l'on adoptait, tout cela était très largement façonné par la conception du monde que « le Parti » contribuait à installer dans les consciences et à diffuser dans le corps social. Le vote était donc un moment très important de l'affirmation collective de soi et de son poids politique. Et, les soirs d'élections, quand tombaient les résultats, on explosait de colère en apprenant que la droite avait encore gagné, on s'emportait contre les ouvriers « jaunes » qui avaient « voté gaulliste » et, par conséquent, contre eux-mêmes.

Il est devenu si commun de déplorer cette influence communiste sur les milieux populaires – pas sur tous –

des années 1950 jusqu'à la fin des années 1970 qu'il convient de lui redonner le sens qu'elle revêtait pour ceux que l'on condamne d'autant plus facilement qu'il est peu probable qu'ils soient en mesure d'accéder à la parole publique (se soucie-t-on jamais de la leur donner ? De quels moyens disposent-ils pour la prendre ?). Être communiste n'avait à peu près aucun rapport avec le désir de voir s'instaurer un régime qui aurait ressemblé à celui de l'URSS. La politique « étrangère » semblait d'ailleurs bien lointaine, comme c'est souvent le cas dans les milieux populaires – et encore plus chez les femmes que chez les hommes. Il allait de soi qu'on était du côté soviétique contre l'impérialisme américain, mais cela n'intervenait presque jamais dans les discussions. Et bien qu'on soit désorienté par les coups de force de l'Armée rouge contre les pays amis, on préférait éviter d'en parler : en 1968, alors que la radio relatait les événements tragiques qui se déroulaient à Prague après l'intervention soviétique, je demandai à mes parents : « Qu'est-ce qui se passe ? », et je me fis vertement rabrouer par ma mère : « T'occupe pas de ça... Je ne sais pas pourquoi ça t'intéresse... », sans doute parce qu'elle n'avait aucune réponse à me donner et qu'elle était aussi perplexe que moi, qui avais à peine 15 ans. En fait, l'adhésion aux valeurs communistes s'ancrait dans des préoccupations plus immédiates et plus concrètes. Quand Gilles Deleuze, dans son *Abécédaire*, avance l'idée qu'« être de gauche », c'est « percevoir le monde d'abord », « percevoir à l'horizon » (considérer que les problèmes urgents, ce sont ceux du tiers-monde, plus proches de nous que ceux de notre quartier), alors que « ne pas être de gauche », ce serait au contraire se focaliser sur la rue où l'on habite, le pays où l'on vit[1], la définition qu'il propose se situe à l'exact opposé de celle qu'incarnaient mes parents : dans les milieux populaires, dans la « classe ouvrière », la politique de gauche consistait avant tout en un refus très pragmatique de ce que l'on subissait dans sa vie quotidienne. Il s'agissait d'une protestation, et non d'un projet politique inspiré par une perspective globale. On regardait autour de soi et non au loin, que ce soit dans l'espace ou dans le temps. Et même si l'on répétait souvent : « Ce qu'il faudrait, c'est une bonne révolution », ces expressions toutes faites étaient plutôt liées à la dureté des conditions de vie et au caractère intolérable des injustices qu'à la perspective d'instaurer un système politique différent. Puisque tout ce qui arrivait semblait avoir été décidé par d'occultes puissances (« tout ça, c'est voulu »), l'invocation de la « révolution », dont on ne se demandait jamais ni où, ni quand, ni comment elle pourrait bien éclater, apparaissait comme le seul recours – un mythe contre un autre – opposable aux forces maléfiques – la droite, les « richards », les « gros bonnets »... – qui provoquaient tant de malheurs dans la vie des « gens qui n'ont rien », des « gens comme nous ».

Dans ma famille, on partageait le monde en deux camps : ceux qui sont « pour l'ouvrier » et ceux qui sont « contre l'ouvrier », ou, selon une variation sur le même thème, ceux qui « défendent l'ouvrier » et ceux qui « ne font rien pour l'ouvrier ». Combien de fois ai-je entendu ces phrases en lesquelles se résumaient la perception de la

---

1. Gilles Deleuze, « Gauche », in *L'Abécédaire de Gilles Deleuze*, DVD, Éditions du Montparnasse, 2004.

politique et les choix qui en découlaient ! D'un côté, il y avait « nous » et ceux qui sont « avec nous » ; de l'autre, il y avait « eux »[1].

Qui remplit désormais le rôle que jouait « le Parti » ? Vers qui les exploités et les démunis peuvent-ils se tourner pour se sentir exprimés, soutenus ? À qui peuvent-ils se référer, s'adosser, pour se donner une existence politique et une identité culturelle ? Pour se sentir fiers d'eux-mêmes parce que légitimes et légitimes parce que légitimés par une instance puissante ? Ou tout bêtement : qui tient compte de ce qu'ils sont, de ce qu'ils vivent, de ce qu'ils pensent, de ce qu'ils veulent ?

Quand mon père regardait les journaux télévisés, ses commentaires traduisaient une allergie épidermique à la droite et à l'extrême droite. En 1965, pendant la campagne présidentielle, puis pendant et après Mai 68, il s'emportait tout seul devant son poste en entendant les propos de Tixier-Vignancour, représentant caricatural de la vieille extrême droite française. Ce dernier ayant dénoncé « le drapeau rouge du communisme » que l'on agitait dans les rues de Paris, mon père avait tempêté : « Le drapeau rouge, c'est le drapeau des ouvriers. » Plus tard, il se sentira également agressé et offensé par la manière dont Giscard d'Estaing imposera dans tous les foyers français, par l'intermédiaire de la télévision, son *ethos* de grand bourgeois, ses gestes affectés, son élocution grotesque. Il lançait aussi des insultes aux journalistes qui animaient les

---

1. Sur ce partage opéré dans les classes populaires entre « eux » et « nous », voir Richard Hoggart, *La Culture du pauvre*, Paris, Minuit, 1970, p. 177 sv.

émissions politiques, et se réjouissait quand celui – tel ou tel apparatchik stalinien à l'accent ouvrier – qu'il considérait comme le porte-parole de ce qu'il pensait et ressentait, cassant les règles du jeu institué comme plus personne n'oserait le faire aujourd'hui, tant la soumission des responsables politiques et de la plupart des intellectuels au pouvoir médiatique est devenue totale ou presque, et parlant des problèmes réels des ouvriers au lieu de répondre aux questions de politique politicienne dans lesquelles on essayait de l'enfermer, venait rendre justice à tous ceux qu'on n'entend jamais dans ce genre de circonstances, à tous ceux dont l'existence même est systématiquement exclue du paysage de la politique légitime.

Je me souviens du jardin derrière la maison de mes grands-parents. Il n'était pas très large, et de chaque côté un grillage le séparait des jardins identiques de leurs voisins. À l'extrémité se trouvait un cabanon dans lequel ma grand-mère, comme c'était le cas dans la plupart des maisons du quartier, élevait des lapins que nous allions nourrir d'herbe et de carottes jusqu'à ce qu'ils finissent dans nos assiettes les dimanches ou les jours de fête... Ma grand-mère ne savait ni lire ni écrire. Elle demandait qu'on lui lise ou qu'on écrive pour elle les lettres administratives, en s'excusant presque de son incapacité : « Je suis illettrée », répétait-elle alors, sur un ton qui n'exprimait ni colère ni révolte, seulement cette soumission à la réalité telle qu'elle est, cette résignation, qui caractérisaient chacun de ses gestes, chacune de ses paroles, et qui, peut-être, lui permettaient de supporter sa condition comme on accepte un destin inéluctable. Mon grand-père était ébéniste ; il travaillait dans une usine où l'on fabriquait des meubles. Pour arrondir les fins de mois, il en fabriquait chez lui pour les voisins. On lui passait beaucoup de commandes dans tout le quartier, et même au-delà, et il se tuait littéralement à la tâche pour nourrir sa famille, sans jamais prendre le moindre jour de repos. Il est mort à 54 ans, quand j'étais encore enfant, d'un cancer de la gorge (ce fléau par lequel étaient emportés à l'époque les ouvriers, qui consommaient un nombre à peine imaginable de cigarettes chaque jour. Trois frères de mon père succomberont par la suite, très jeunes, à la même maladie, un autre ayant été victime avant eux de l'alcoolisme). Quand je fus adolescent, ma grand-mère s'étonna que je ne fume pas : « Un homme qui fume, c'est plus sain », me dira-t-elle, inconsciente des ravages que de telles croyances n'avaient cessé de répandre autour d'elle. De santé fragile, elle mourra une dizaine d'années après son mari, d'épuisement sans doute : elle avait alors 62 ans et faisait le ménage dans des bureaux pour gagner sa vie. Un soir d'hiver, après son travail, elle glissa sur une plaque de verglas en rentrant chez elle – un minuscule deux pièces dans un immeuble HLM où elle s'était finalement installée – et se cogna la tête contre le sol. Elle ne s'en remit pas et décéda quelques jours après cet accident.

À n'en pas douter, cette cité-jardin où vécut mon père avant ma naissance, et qui constitua l'un des cadres de mon enfance puisque mon frère et moi y passions beaucoup de temps, notamment pendant les vacances scolaires, était un lieu de relégation sociale. Une réserve de pauvres, à l'écart du centre et des beaux quartiers. Pourtant, quand j'y repense, je prends conscience que cela n'avait rien à voir avec ce que l'on désigne aujourd'hui sous le nom de « cité ». C'était un habitat horizontal, et non vertical : pas d'immeubles, pas de tours, rien de tout ce qui allait surgir à la fin des années 1950 et surtout au cours des années 1960 et 1970. Cela conservait à ce territoire aux confins de la ville un caractère humain. Et même si le secteur avait mauvaise réputation, même si cela ressemblait beaucoup à un ghetto déshérité, il n'était pas si désagréable d'y vivre. Les traditions ouvrières, et notamment certaines formes de culture et de solidarité, ne manquaient ni de s'y développer ni de s'y perpétuer. C'est par le moyen d'une de ces formes culturelles – le bal populaire du samedi soir – que mes parents se rencontrèrent. Ma mère vivait non loin de là, dans un faubourg de la ville, avec sa mère et le compagnon de celle-ci. Elle et mon père, comme toute la jeunesse populaire de l'époque, aimaient le moment de divertissement et de joie que représentaient les bals de quartier. Ils ont largement disparu, aujourd'hui, et n'existent plus guère que la veille ou le jour du 14 juillet. Mais, à l'époque, ils constituaient pour beaucoup l'unique « sortie » de la semaine, et l'occasion d'une réunion entre amis et de rencontres sexuelles et amoureuses. Les couples s'y faisaient et s'y défaisaient. Ils duraient parfois. Ma mère était éprise d'un autre garçon, mais il voulait coucher avec elle ; elle ne voulait pas ; elle craignait de tomber enceinte et de donner naissance à un enfant sans père, si ce dernier avait préféré rompre pour ne pas avoir à accepter une paternité non souhaitée. Elle ne souhaitait pas mettre au monde un enfant qui aurait dû vivre ce qu'elle avait elle-même vécu, et dont elle avait tant souffert. L'élu de son cœur la quitta pour une autre. Elle rencontra mon père. Elle ne fut jamais amoureuse de lui. Mais elle se fit une raison : « Celui-là ou un autre… » Elle aspirait à être enfin indépendante, et seul le mariage le lui permettrait, puisqu'on n'était alors majeur qu'à 21 ans. Il leur fallut d'ailleurs attendre que mon père atteigne cet âge : ma grand-mère paternelle ne voulait pas qu'il parte, car elle tenait à ce qu'il continue de « rendre sa paye » le plus longtemps possible. Dès qu'il le put, il épousa ma mère. Elle avait 20 ans.

À cette époque, mon père était ouvrier – au plus bas de l'échelle ouvrière – depuis longtemps déjà. Il n'avait pas encore 14 ans (puisque l'école s'arrêtait fin juin, il commença à travailler aussitôt, et il n'eut 14 ans que trois mois plus tard) quand il était entré dans ce qui allait constituer le décor de sa vie et le seul horizon qui puisse s'offrir à lui. L'usine l'attendait. Elle était là pour lui ; il était là pour elle. Comme elle attendrait ses frères et ses sœurs, qui l'y suivraient. Comme elle attendait et attend toujours ceux qui naissaient et naissent dans des familles socialement identiques à la sienne. Le déterminisme social exerça son emprise sur lui dès sa naissance. Il n'échappa pas à ce à quoi il était promis par toutes les lois, tous les mécanismes de ce que l'on ne peut appeler autrement que la « reproduction ».

Les études de mon père n'allèrent donc pas au-delà de l'école primaire. Nul n'y aurait songé, d'ailleurs. Ni ses parents ni lui-même. Dans son milieu, on allait à l'école jusqu'à 14 ans, puisque c'était obligatoire, et on quittait l'école à 14 ans, puisque ça ne l'était plus. C'était ainsi. Sortir du système scolaire n'apparaissait pas comme un scandale. Au contraire ! Je me souviens que l'on s'indigna beaucoup dans ma famille quand la scolarité fut rendue obligatoire jusqu'à 16 ans : « À quoi ça sert d'obliger des enfants à continuer l'école si ça ne leur plaît pas, alors qu'ils préféreraient travailler ? » répétait-on, sans jamais s'interroger sur la distribution différentielle de ce « goût » ou de cette « absence de goût » pour les études. L'élimination scolaire passe souvent par l'autoélimination, et par la revendication de celle-ci comme s'il s'agissait d'un choix : la scolarité longue, c'est pour les autres, ceux « qui ont les moyens » et qui se trouvent être les mêmes que ceux à qui « ça plaît ». Le champ des possibles – et même celui des possibles simplement envisageables, sans parler de celui des possibles réalisables – est étroitement circonscrit par la position de classe. C'est comme s'il y avait une étanchéité presque totale entre les mondes sociaux. Les frontières qui séparent ces mondes définissent, à l'intérieur de chacun d'eux, des perceptions radicalement différentes de ce qu'il est imaginable d'être et de devenir, de ce à quoi on peut aspirer ou non : on sait que, ailleurs, il en va autrement, mais cela se passe dans un univers inaccessible et lointain, et l'on ne se sent donc ni exclu ni même privé de quoi que ce soit lorsqu'on n'a pas accès à ce qui constitue dans ces régions sociales éloignées la règle tout aussi évidente. C'est l'ordre des choses, voilà tout. Et l'on ne voit pas comment fonctionne cet ordre, car cela nécessiterait de pouvoir se regarder soi-même de l'extérieur, d'adopter une vue en surplomb sur sa propre vie et sur celle des autres. Il faut être passé, comme ce fut mon cas, d'un côté à l'autre de la ligne de démarcation pour échapper à l'implacable logique de ce qui va de soi et apercevoir la terrible injustice de cette distribution inégalitaire des chances et des possibles. Cela n'a guère changé, d'ailleurs : l'âge de l'exclusion scolaire s'est déplacé, mais la barrière sociale entre les classes reste la même. C'est pourquoi toute sociologie ou toute philosophie qui entend placer au centre de sa démarche le « point de vue des acteurs » et le « sens qu'ils donnent à leurs actions » s'expose à n'être rien d'autre qu'une sténographie du rapport mystifié que les agents sociaux entretiennent avec leurs propres pratiques et leurs propres désirs et, par conséquent, à n'être rien de plus qu'une contribution à la perpétuation du monde tel qu'il est : une idéologie de la justification (de l'ordre établi). Seule une rupture épistémologique avec la manière dont les individus se pensent eux-mêmes spontanément permet de décrire, en reconstituant l'ensemble du système, les mécanismes par lesquels l'ordre social se reproduit, et notamment la façon dont les dominés ratifient la domination en élisant l'exclusion scolaire à laquelle ils sont voués. La force et l'intérêt d'une théorie résident précisément dans le fait qu'elle ne se satisfait jamais d'enregistrer les propos que les « acteurs » tiennent sur leurs « actions », mais qu'elle se donne au contraire pour objectif de permettre aux individus et aux groupes de voir et de penser différemment ce qu'ils sont et ce qu'ils font, et peut-être, ainsi, de changer ce qu'ils font et ce qu'ils sont. Il s'agit de rompre avec les catégories incorporées de la perception et les cadres institués de la signification, et donc avec l'inertie sociale dont ces catégories et ces cadres sont les vecteurs, afin de produire un nouveau regard sur le monde, et donc d'ouvrir de nouvelles perspectives politiques.

Car ils sont tôt tracés, les destins sociaux ! Tout est joué d'avance ! Les verdicts sont rendus avant même que l'on puisse en prendre conscience. Les sentences sont gravées sur nos épaules, au fer rouge, au moment de notre nais-

sance, et les places que nous allons occuper définies et déli-
mitées par ce qui nous aura précédé : le passé de la famille
et du milieu dans lesquels on vient au monde. Mon père
n'eut même pas la possibilité de se présenter au certificat
d'études primaires, le diplôme qui constituait, pour les
enfants des classes populaires, l'aboutissement et le couron-
nement de la scolarité. Ceux de la bourgeoisie suivaient
un autre parcours : à 11 ans, ils entraient au lycée. Tandis
que les enfants d'ouvriers et de paysans restaient cantonnés
dans l'enseignement primaire jusqu'à 14 ans et s'arrêtaient
là. Il s'agissait d'éviter tout mélange entre ceux à qui l'on
devait dispenser les rudiments d'un savoir utilitaire (lire,
écrire, compter), indispensable pour se débrouiller dans
la vie quotidienne et suffisant pour occuper des emplois
manuels, et ceux, issus des classes privilégiées, à qui était
réservé le droit à une culture considérée comme « désin-
téressée » – la « culture » tout court, dont on redoutait
qu'elle ne corrompe les ouvriers qui y auraient accès[1]. Le
certificat mesurait donc l'acquisition de ces connaissances
« fonctionnelles » de base (s'y ajoutaient quelques éléments
d'« Histoire de France » – quelques grandes dates de la
mythologie nationale – et de « Géographie » – la liste des
départements et de leurs chefs-lieux). Il gardait un caractère sélectif dans les milieux auxquels il était destiné et où
l'on était fier de l'avoir obtenu. La moitié seulement de
ceux qui se présentaient aux épreuves y réussissaient. Et
nombreux étaient ceux, plus ou moins sortis du système
scolaire avant l'âge légal, qui n'allaient même pas jusque-

---

1. Cf. Francine Muel-Dreyfus, *Le Métier d'éducateur*, Paris, Minuit, 1983,
p. 46-47.

là. Ce qui fut le cas de mon père. Aussi, ce que mon père apprit, il se l'apprit lui-même, plus tard, en allant suivre des « cours du soir », après ses journées de travail, dans l'espoir de gravir quelques degrés dans l'échelle sociale. Il entretint pendant un certain temps le rêve de devenir dessinateur industriel. Il fut vite rappelé à la réalité : il n'avait pas, je suppose, la formation initiale nécessaire et, surtout, cela ne devait pas être facile de se concentrer après avoir passé toute la journée à l'usine. Il fut contraint d'abandonner et de renoncer à ses illusions. Il conserva longtemps quelques larges feuilles quadrillées, couvertes de schémas et de graphiques – des cahiers d'exercices ? –, qu'il sortait parfois d'un dossier pour les regarder ou nous les montrer, avant de les remiser à nouveau au fond du tiroir où gisaient ses espoirs défunts. Non seulement il continua d'être ouvrier, mais il dut l'être deux fois : quand j'étais tout petit, il commençait sa journée très tôt le matin et travaillait dans une usine jusqu'au début de l'après-midi, et il allait en fin d'après-midi dans une autre usine ajouter quelques heures à son salaire. Ma mère aidait comme elle pouvait, s'éreintant à faire des ménages et des lessives (les machines à laver le linge n'existaient pas encore, ou rares étaient ceux qui y avaient accès, et faire la lessive des autres était une manière de gagner un peu d'argent et d'augmenter les revenus du foyer). Elle ne s'embaucha dans une usine que lorsque mon père traversa une longue période de chômage, en 1970, mais elle continua d'y travailler après que mon père eut retrouvé un emploi (et je comprends aujourd'hui qu'elle alla travailler en usine pour que je puisse passer le bac et entrer à l'université. Jamais l'idée ne me vint à ce moment-là – ou bien je la refoulais dans les tréfonds de ma conscience quand ma mère évoquait cette possibilité et, en vérité, elle l'évoquait souvent – qu'il aurait pu m'incomber d'aller gagner ma vie pour aider ma famille). Mon père eut beau ressasser que ce n'était pas « le rôle d'une femme d'aller travailler en usine », se sentir atteint dans son honneur masculin de n'être pas en mesure de subvenir seul aux besoins de son foyer, il lui fallut se résigner et accepter que ma mère devienne « ouvrière », avec tout ce que ce mot charriait de connotations péjoratives : des femmes « délurées », qui parlent « cru », et peut-être même couchent « à droite à gauche », bref, des « traînées »... Cette représentation bourgeoise de la femme du peuple qui travaille hors de chez elle et dans des lieux où elle côtoie des ouvriers était largement partagée par les hommes de la classe ouvrière, qui n'aimaient guère perdre le contrôle de leurs conjointes ou compagnes pendant plusieurs heures chaque jour et qu'effrayait par-dessus tout le spectre honni de la femme émancipée. Annie Ernaux dit à propos de sa mère, qui s'était embauchée dans une usine quand elle était jeune fille, qu'elle tenait à être considérée comme une « ouvrière *mais* sérieuse ». Or le simple fait qu'elle travaille avec des hommes suffisait à « empêcher qu'on la considère comme ce qu'elle aspirait à être, "une jeune fille comme il faut" [1] ». Il en allait de même pour les femmes plus âgées : le métier qu'elles exerçaient suffisait à leur donner à toutes une mauvaise réputation, qu'elles aient ou non pratiqué la liberté sexuelle dont on les soupçonnait. Ce qui poussait mon père à se rendre fréquemment, à l'heure de la sortie de l'usine, au café situé juste à côté pour savoir si ma mère y allait en

---

1. Annie Ernaux, *Une femme, op. cit.*, p. 33.

cachette et la surprendre en ces lieux si cela avait été le cas. Mais elle ne fréquentait pas ce café, ni un autre. Elle rentrait à la maison pour préparer les repas après avoir fait les courses. Comme toutes les femmes qui travaillent, elle était astreinte à une double journée.

Ce n'est que bien plus tard que mon père réussit à s'élever de quelques échelons, sinon dans la hiérarchie sociale, du moins dans celle de l'usine, passant par étapes du statut de manœuvre à celui d'ouvrier qualifié et, enfin, à celui d'agent de maîtrise. Il n'était plus ouvrier. Il dirigeait les ouvriers. Ou, plus exactement, il animait une équipe. Il tirait de ce nouveau statut un orgueil naïf, une image de soi plus valorisante. Bien sûr, je trouvais cela risible... moi qui, tant d'années après, rougirais encore de honte quand il me faudrait, pour obtenir tel ou tel document administratif, fournir un extrait d'acte de naissance sur lequel figuraient la profession initiale de mon père (manœuvre) et celle de ma mère (femme de ménage), et qui ne pouvais concevoir qu'ils aient tant désiré s'élever au-dessus de leur condition, si peu que ce soit à mes yeux, quand c'était déjà beaucoup à leurs propres yeux.

Mon père travailla donc en usine de 14 à 56 ans, quand il fut « mis en préretraite », sans qu'on lui demande son avis, la même année que ma mère (à l'âge de 55 ans), tous deux rejetés par le système qui les avait exploités sans vergogne, lui désemparé de se retrouver désœuvré, elle assez heureuse de quitter un lieu de travail où les tâches étaient harassantes – à un point que ne peuvent imaginer ceux qui n'en firent jamais l'expérience – et où le bruit, la chaleur, la répétition quotidienne des gestes mécaniques rongent à petit feu les organismes les plus résistants. Ils étaient fatigués, usés. Ma mère n'avait pas cotisé assez longtemps, car ses emplois de femme de ménage n'avaient pas toujours été déclarés, et le montant de sa retraite s'en trouva diminué d'autant, ce qui amputa sévèrement leurs revenus. Ils réinventèrent leur vie comme ils le purent. Par exemple, ils se mirent à voyager plus fréquemment grâce au comité d'entreprise de l'ancienne usine de mon père, allant passer un week-end à Londres, une semaine en Espagne ou en Turquie... Ils ne s'aimaient pas plus qu'avant ; ils avaient simplement trouvé un *modus vivendi*, habitués l'un à l'autre et sachant, l'un et l'autre, que seule la mort de l'un d'eux viendrait les séparer.

Mon père était bricoleur, et fier de ses capacités en ce domaine, comme il était fier du travail manuel en général. Il s'épanouissait dans cette activité, à laquelle il consacrait presque tout son temps libre, et il avait le goût de la belle ouvrage. Quand j'étais lycéen, en seconde ou première, il me construisit un bureau en transformant une vieille table. Il installait des placards, réparait tout ce qui se mettait à clocher dans l'appartement. Moi, je ne savais rien faire de mes dix doigts. Et dans cette incapacité voulue – n'aurais-je pu me décider à apprendre quelque chose de lui ? – j'investissais bien sûr tout mon désir de ne pas lui ressembler, de devenir socialement autre que lui. Plus tard, j'allais découvrir que certains intellectuels adorent bricoler et qu'on peut à la fois aimer les livres – en lire et en écrire – et s'adonner avec plaisir aux activités pratiques et manuelles. Cette découverte me plongerait dans des abîmes de perplexité : un peu comme si toute ma personnalité se trouvait mise en cause par la déstabilisation de ce que j'avais longtemps perçu et vécu comme un binarisme fondamental, constitutif (mais, en réalité, seulement constitutif de moi-même). Il en ira de même avec le sport : que certains de mes amis aiment regarder le sport à la télévision me perturbera profondément, provoquant l'effondrement d'une évidence dont la force s'était imposée à moi, pour qui se définir comme un intellectuel, vouloir en être un, avait précisément passé par la détestation des soirées où l'on regardait les matchs de football à la télévision. La culture sportive, le sport comme unique centre d'intérêt – des hommes, car, pour les femmes, c'était plutôt les faits divers –, autant de réalités que j'avais eu à cœur de juger de très haut, avec beaucoup de dédain et un sentiment d'élection. Il me fallut du temps pour déconstruire tous ces cloisonnements qui m'avaient permis de devenir ce que j'étais devenu, et pour réintégrer dans mon univers mental et existentiel ces dimensions que j'en avais exclues.

Quand j'étais enfant, mes parents circulaient à mobylette. Ils nous transportaient, mon frère et moi, sur des sièges pour enfant installés à l'arrière. Cela pouvait s'avérer dangereux. Dans un virage, mon père dérapa un jour sur des gravillons et mon frère eut la jambe cassée. En 1963, ils entreprirent d'obtenir le permis de conduire et achetèrent une voiture d'occasion (une Simca Aronde noire au capot de laquelle on me voit adossé, quand j'ai 12 ou 13 ans, sur plusieurs photos que ma mère m'a données). Ma mère avait réussi l'examen avant mon père. Et celui-ci, qui aurait trouvé déshonorant d'être assis à côté de sa femme au volant, préféra, pour s'éviter cette situation infamante, conduire sans permis pendant quelque temps. Il devenait littéralement fou – et méchant – quand ma mère exprimait ses craintes et manifestait son désir de prendre ce qu'il considérait comme sa place. Ensuite, tout rentra dans l'ordre : c'est toujours lui qui conduisait (même quand il avait trop bu, il ne voulait pas que ce soit elle). À partir de cette acquisition, nous allâmes pique-niquer, les dimanches, dans les bois ou les prés aux alentours de la ville. L'été, il n'était évidemment pas question de partir en vacances. Nous n'en avions pas les moyens. Nos voyages se limitaient à la visite en une journée d'une ville de la région : Nancy, Laon, Charleville... Il nous arrivait de franchir la frontière belge – il y avait là une ville qui s'appelle Bouillon (un nom que nous apprenions à rapprocher de Godefroy de Bouillon et de l'aventure des Croisades, mais que j'associe désormais plus volontiers à l'opéra de Cilea, *Adrienne Lecouvreur*, et au personnage grandiose et terrible de la princesse de Bouillon). Nous visitions le château, nous achetions du chocolat et des souvenirs. Nous ne poussions pas plus loin. Je ne connus Bruxelles que des années après. Nous sommes même allés une fois à Verdun, et je me souviens de la visite lugubre et terrorisante de l'ossuaire de Douaumont, où sont entassés les restes des soldats morts au cours des batailles qui se déroulèrent ici pendant la Première Guerre mondiale. J'en fis longtemps des cauchemars. Nous allions à Paris, également, rendre visite à ma grand-mère maternelle. Les embouteillages parisiens provoquaient d'ahurissantes crises de colère chez mon père, qui trépignait, enchaînait les jurons, vociférait, sans qu'on sache très bien pourquoi il en arrivait à se mettre dans des états pareils, ce qui aboutissait toujours à d'interminables

59

disputes avec ma mère, qui supportait difficilement ce qu'elle appelait son « cinéma ». Il en était de même sur la route : se trompait-il de chemin, ou ratait-il un embranchement, qu'il se mettait à hurler, comme si sa vie et la nôtre en avaient dépendu. Mais le plus souvent, quand il faisait beau, nous allions sur les bords de la Marne, près des villages du champagne, où nous restions des heures entières à nous adonner à l'activité de détente favorite de mon père : la pêche. Il y devenait un autre homme et un lien s'instaurait alors entre lui et ses enfants : il nous apprenait les gestes et les techniques nécessaires, nous donnait des conseils, et nous commentions au fil de la journée ce qui se passait ou ne se passait pas : « ça mord, aujourd'hui », ou bien : « ça ne mord pas », et nous cherchions à savoir pourquoi, en incriminant la chaleur ou la pluie, le moment trop précoce ou trop tardif dans l'année… Nous y retrouvions parfois mes oncles et mes tantes, avec leurs enfants. Le soir, nous mangions les poissons que nous avions attrapés. Ma mère les lavait, les trempait dans la farine et les jetait dans la poêle. Nous nous régalions de ces fritures. Mais cela me sembla bientôt ridicule et stérile. Je voulais lire, et non pas perdre mon temps à tenir une canne à pêche et à surveiller les oscillations d'un bouchon de liège à la surface de l'eau. Je me mis aussi à détester toute la culture et les formes de sociabilité liées à ce passe-temps : la musique des transistors, les bavardages sans intérêt avec les gens que nous y rencontrions, et la stricte division du travail entre les sexes – les hommes pêchaient, les femmes tricotaient, lisaient des romans-photos ou s'occupaient des enfants, préparaient les repas… Je cessai d'accompagner mes parents. Pour m'inventer, il me fallait avant tout me dissocier.

II

1

Sa mère n'avait pas encore 17 ans quand ma mère est née. Le jeune homme avec qui elle avait « fauté » ne devait pas être beaucoup plus âgé. Ma grand-mère fut mise à la porte de chez elle par son père quand il s'aperçut qu'elle était enceinte : « Fous le camp d'ici avec ton bâtard ! Et soyez maudits tous les deux ! » lui cria-t-il. Elle partit. Et, peu de temps après, elle recueillit sa propre mère (pour des raisons que j'ignore, mais sans doute parce que celle-ci n'avait pas accepté de ne plus voir sa fille et avait donc quitté son mari). L'amant de la toute jeune femme ne supporta pas longtemps cette situation – leur appartement devait être exigu – et lui dit : « Tu choisis, c'est ta mère ou moi. » Elle choisit sa mère ; il la quitta et ne donna plus jamais de nouvelles. Il ne se sera donc occupé de son enfant que pendant quelques mois, et il disparut de la vie de ma mère, la « bâtarde », avant qu'elle ait atteint l'âge d'avoir des souvenirs de lui. Ma grand-mère se mettra en ménage peu de temps après avec un autre homme, avec qui elle allait avoir trois autres enfants. Ma mère vivra avec eux jusqu'à la guerre, qui allait bouleverser sa vie pour toujours. Plus tard, elle suppliera sa mère de lui dire le nom de celui qu'elle n'avait pas connu, lui demandant si elle savait ce qu'il était devenu, mais elle n'obtiendra jamais d'autre réponse que cette phrase : « Cela ne sert à rien de remuer le passé. » Les seules informations dont elle dispose à propos de son père, c'est qu'il était très beau, et qu'il était ouvrier maçon. Et aussi qu'il était espagnol. « Andalou », m'a-t-elle affirmé tout récemment. Gitan, se plaît-elle à penser, comme si cette manière de s'écrire un roman familial lui rendait supportable la douleur d'avoir eu à subir toutes les conséquences néfastes attachées à ce statut de fille sans père (elle évoque volontiers la blessure toujours à vif que lui infligèrent les moqueries de l'institutrice quand, toute petite encore, à l'école, elle avait, à une question routinière sur ses parents, répondu qu'elle n'avait pas de père : « Tout le monde a un père… », s'était-elle entendue objecter dans un ricanement cruel. Mais elle, justement, n'en avait pas). Il n'est pas impossible, d'ailleurs, que cette fable gitane soit vraie. En regardant les photos de moi à 15 ou 16 ans, la peau brune, les cheveux noirs, longs, bouclés, j'ai pensé que j'avais hérité de cette filiation génétique. Voici quelques années, dans le cadre des voyages organisés par le comité d'entreprise de l'usine où avait travaillé mon père, ma mère parcourut avec lui l'Andalousie. Quand l'autocar approcha de Grenade, elle se sentit tressaillir d'émotion : « C'était bizarre, je frissonnais, m'a-t-elle raconté. Je ne sais pas ce qui se passait, mais c'est sûrement parce que c'était mon pays. D'ailleurs, il y avait un déjeuner au restaurant avec des gitans qui jouaient de la guitare, et l'un d'eux s'est assis à côté de moi et m'a dit : "Toi, tu es des nôtres." »

Je n'ai jamais adhéré à cette mystique des origines – dont je ne comprends pas très bien à quel fantasme de la transmission biologique ou à quelle psychologie des profondeurs familiales elle ressortit – mais j'ai conscience que ma mère a toujours vécu difficilement, et jusqu'à aujourd'hui, le fait de n'avoir pu rencontrer son père, et qu'elle s'inventa, à partir d'éléments réels, une Espagne déposée au plus profond d'elle-même comme un rayon de soleil la sauvant des brumes du Nord et des sombres réalités de son existence. Ce n'est pas de richesse qu'elle rêva toute sa vie, mais de lumière et de liberté. Cette liberté à laquelle la possibilité de suivre des études lui eût peut-être donné accès. « J'aurais aimé devenir institutrice », dit-elle aujourd'hui, puisque, « à cette époque-là, c'est ce qu'on pouvait faire après les études quand on était une fille ». Ses ambitions étaient bien limitées. Elles se révélèrent pourtant irréalistes. Lorsqu'elle fut sur le point d'entrer au lycée, ce qui était assez inouï pour quelqu'un de son milieu – elle était très bonne élève et elle avait même obtenu une dispense pour entrer en classe de sixième à l'âge de 10 ans au lieu de 11 –, sa famille dut quitter la ville : la population fut appelée à fuir devant l'avancée des troupes allemandes. Des autobus transportèrent les habitants vers le sud. Ne restèrent que ceux qui avaient l'intention de piller les maisons et ceux qui voulaient protéger leurs biens contre le pillage (c'est ainsi que ma mère commente ce sinistre épisode). Ce périple les mena en Bourgogne, où on les accueillit dans une ferme.

Pendant le temps qu'ils y séjournèrent, ma grand-mère participa, de tôt le matin jusqu'à tard le soir, aux travaux des champs. Les enfants s'occupaient comme ils pouvaient, en jouant dans la cour ou en aidant aux tâches domestiques. Après l'armistice, tout le monde rentra. Ma grand-mère trouva un emploi dans une usine de métaux. Quand on demanda des volontaires pour aller travailler en Allemagne, elle se porta candidate. Elle quitta son compagnon et confia ses quatre enfants à une famille d'accueil. Au bout de quelques mois, elle cessa d'envoyer de l'argent, et cette famille plaça les deux garçons et les deux filles à l'hospice de la Charité, où l'on recueillait les orphelins et les enfants abandonnés. Pour ma mère, il ne fut plus question d'entrer au lycée. Elle passa et obtint son certificat d'études, ce dont elle tira – et tire toujours – une grande fierté, et, aussitôt après, elle fut « placée comme bonne ». Dès qu'ils avaient 14 ans, en effet, l'institution de la Charité mettait au travail les enfants dont elle avait la charge : dans une ferme pour les garçons (et ce fut le cas de son frère le plus âgé), comme employée de maison pour les filles.

Ma mère travailla d'abord chez un couple d'enseignants. Des gens bien, qui se prirent d'affection pour elle. Elle garde d'eux un souvenir empreint de reconnaissance : pendant qu'elle fut leur employée, ils lui payèrent des cours de sténodactylographie, avec l'idée qu'elle pourrait devenir secrétaire. Ma mère y excella. Elle aurait aimé continuer, car une année ne suffisait pas pour en retirer un bénéfice professionnel. Mais une année, c'était la durée maximale pendant laquelle la Charité laissait les jeunes filles dans chaque « place ». Il leur fallait ensuite changer d'employeurs. Et ma mère dut une fois encore renoncer à ses rêves. « Bonne à tout faire » elle était, « bonne à tout faire » elle resterait.

Ce n'était certes pas un métier facile. Et le harcèlement sexuel en était l'une des règles quasiment instituées. Il arriva plusieurs fois que le mari de la femme qui l'avait engagée lui donne discrètement rendez-vous. Et comme ma mère ne s'y rendait pas, elle était congédiée le lendemain par sa patronne, à qui son mari avait raconté qu'elle lui avait fait des avances. Une fois, même, le père de son employeuse arriva derrière elle et lui mit les mains sur les seins. Elle se dégagea d'un geste brusque, mais se garda bien de se plaindre pour ne pas se retrouver à nouveau sans emploi et obligée d'en chercher un : « Personne n'aurait voulu me croire. Moi, une pauvre petite bonniche, contre un riche industriel de la ville », me confia-t-elle lorsqu'elle accepta de retracer pour moi ce passé dont je pus constater qu'elle ne parlait jamais sans être aussitôt submergée, soixante ans après, par une froide et triste colère. Et puis, ajouta-t-elle, « ces choses-là arrivaient tout le temps, mais on se taisait. À cette époque-là, ce n'était pas comme maintenant, les femmes n'avaient aucun droit... C'étaient les hommes qui faisaient la loi ». À 16 ans ou 17 ans, elle savait déjà ce que sont et valent les hommes, et, quand elle se mariera, ce sera sans grande illusion sur ceux-ci en général et sur celui qu'elle épousera en particulier.

Quand ma grand-mère était revenue en France après son séjour en Allemagne, elle s'était réinstallée avec son compagnon d'avant guerre et avait récupéré les trois enfants qu'elle avait eus avec lui. Mais pas son aînée, dont elle n'essaya même pas de savoir où elle était ni ce qu'elle faisait. Pourtant, avant la guerre, ma mère, qui habitait désormais chez ses employeurs, avait vécu avec eux deux ainsi qu'avec ses deux demi-frères et sa demi-sœur. Et elle avait ardemment désiré pouvoir considérer son beau-père comme son père. Il était charbonnier : il passait dans les rues sur une charrette tirée par un cheval en criant « Charbonnier! charbonnier! », et ceux qui voulaient acheter des sacs de charbon le hélaient de leur fenêtre. Après la guerre, il continua d'exercer ce métier, mais la charrette et le cheval furent remplacés par une camionnette. Quand ma grand-mère l'épousa, en 1946, elle négligea d'inviter sa première fille au mariage. Ma mère l'apprendra par son frère, avec qui elle avait gardé le contact. Peu de temps après, se sentant malgré tout bien seule et bien malheureuse, elle se décida à aller revoir celle qui l'avait pourtant traitée de manière si affreuse (« C'était quand même ma mère, et puis je n'avais personne d'autre »). Mais celle-ci n'était pas chez elle. Elle était partie pour la région parisienne, où habitait sa sœur, emmenant avec elle ses autres enfants. À Paris, ou plutôt dans la commune de banlieue où elle s'était installée, elle multiplia, semble-t-il, les aventures amoureuses et sexuelles. « Une briseuse de ménages », telle fut la façon dont quelqu'un la décrivit un jour à ma mère. Elle allait néanmoins revenir à Reims. Vivre à nouveau avec son mari. Et ma mère finit par se réinstaller avec eux : quand elle eut 18 ans, elle tenta en effet de retourner chez sa mère. Qui l'accepta. Qui la « reprit », selon son expression. Ma mère pardonna tout. Elle était contente d'avoir enfin réintégré sa famille. Mais elle n'oublia jamais complètement la désinvolture que sa mère avait manifestée à son égard, et que les affres de la guerre ne suffisaient pas à justifier. Pourtant, quand, cinquante ans plus tard, ma grand-mère dut quitter le

modeste appartement qu'elle habitait dans une rue misé-
reuse de Barbès, au cœur de la partie la plus populaire du
XVIIIᵉ arrondissement de Paris, car il lui était de plus en
plus difficile de se débrouiller seule, c'est ma mère qui lui
trouva un studio à Reims et qui s'occupa d'elle. Quand elle
perdit son autonomie physique, qu'il lui devint presque
impossible de se déplacer, qu'elle insista pour regagner
Paris où elle voulait finir ses jours, c'est encore ma mère
qui lui trouva une maison de retraite. Et comme ses revenus ne suffisaient pas à payer les sommes demandées par
l'établissement, c'est ma mère et moi qui acquittâmes jusqu'à sa mort la lourde part des frais que l'aide sociale ne
prenait pas en charge.

J'ai longtemps tout ignoré – ou presque tout – de cette
histoire de ma mère pendant la guerre et l'après-guerre.
Quand j'étais enfant puis adolescent, dans les années
1960 et 1970, j'aimais beaucoup ma grand-mère. Elle
habitait alors à Paris (en fait, je l'ai toujours connue habitant Paris, ville qu'elle adorait et où elle avait tenu à venir
s'installer au milieu des années 1950, quittant définiti-
vement son mari rémois). Elle était concierge. Dans le
XIIIᵉ arrondissement (rue Pascal), puis dans une étroite rue
des Halles, qui étaient encore les Halles (la rue Tiquetonne,
méconnaissable aujourd'hui). Elle le sera ensuite dans
un quartier plus bourgeois, le XIIᵉ arrondissement (rue
Taine), avant de prendre sa retraite et de s'installer
dans un appartement à Barbès. Elle vivait avec un autre
homme, que j'ai toujours appelé « mon grand-père » – la
famille réelle et la famille biologique, sans même parler de
la famille juridique, coïncident moins souvent qu'on ne

le croit, et les familles « recomposées » n'ont pas attendu les années 1990 pour exister. Dans ce monde ouvrier, les structures conjugales et familiales étaient, depuis fort longtemps – pour le meilleur et pour le pire –, marquées par la complexité, la multiplicité, les ruptures, les choix successifs, les réorganisations, etc. (avec des couples vivant « à la colle », des enfants de « plusieurs lits », des hommes et des femmes mariés habitant, chacun de leur côté, avec d'autres femmes et d'autres hommes sans être divorcés…). Ma grand-mère et son nouveau compagnon ne se marièrent jamais. Et même, ma grand-mère ne divorça jamais de celui qu'elle avait épousé en 1946 et qui n'est mort que dans les années 1970 ou 1980, mais qu'elle ne voyait plus depuis longtemps déjà. Quand j'étais adolescent, et bien plus tard encore, j'avais honte de cette situation familiale un peu « trouble » : je mentais sur l'âge de ma grand-mère et de ma mère pour qu'on ne puisse pas calculer que ma mère était née quand la sienne avait 17 ans; je parlais comme si celui que j'appelais mon grand-père était le deuxième mari de ma grand-mère… L'ordre social exerce son emprise sur tous. Et ceux qui aiment que tout soit « réglé », plein de « sens » et de « repères » peuvent compter sur cette adhésion à la norme inscrite dès la prime enfance au plus profond de nos consciences par l'apprentissage du monde social et sur la gêne – la honte – que l'on ressent lorsque le milieu dans lequel on évolue contrevient à cette belle ordonnance juridique et politique, représentée par toute la culture environnante à la fois comme la seule réalité vivable et comme l'idéal à atteindre, même si cette norme familiale – cette famille normative – ne correspond en rien aux vies réelles. Sans doute les sentiments

70

de dégoût que m'inspirent aujourd'hui ceux et celles qui essaient d'imposer leur définition de ce qu'est un couple, de ce qu'est une famille, de la légitimité sociale et juridique reconnue aux uns et refusée aux autres, etc., et qui invoquent des modèles qui n'ont jamais existé que dans leur imagination conservatrice et autoritaire, doivent-ils beaucoup de leur intensité à ce passé où les formes alternatives étaient vouées à être vécues dans la conscience de soi comme déviantes et a-normales, et donc inférieures et honteuses. Ce qui explique sans doute aussi pourquoi je me méfie tout autant des injonctions à l'a-normalité qui nous sont adressées par les tenants – très normatifs également, au fond – d'une non-normativité érigée en « subversion » prescrite, tant j'ai pu constater tout au long de ma vie à quel point normalité et a-normalité étaient des réalités à la fois relatives, relationnelles, mobiles, contextuelles, imbriquées l'une dans l'autre, toujours partielles... et à quel point aussi l'illégitimité sociale pouvait produire des ravages psychiques chez ceux qui la vivent dans l'inquiétude ou la douleur, et engendrer dès lors une aspiration profonde à entrer dans l'espace du légitime et du « normal » (la force des institutions tenant en grande partie à cette désirabilité[1]).

Le grand-père que j'ai connu dans les années 1960 (je ne mets pas de guillemets au mot grand-père, car il était effectivement mon grand-père, dans la mesure où la

---

1. C'est peut-être ce qui explique que des mœurs souples et mobiles puissent cohabiter, dans les classes populaires, avec une morale plutôt rigoriste. Et c'est ce mélange de plasticité dans les pratiques et de rigidité dans l'idéologie qui rend très sensible au commérage, aux ragots, au qu'en-dira-t-on.

famille, qu'elle soit ou non juridiquement conforme aux décrets des tenants de l'ordre social, est toujours le fruit de la volonté et de la décision, et, en tout cas, de la pratique effective) exerçait le métier de laveur de carreaux. Il circulait à mobylette avec son échelle et son seau, et il allait nettoyer les vitres de cafés ou de commerces situés parfois assez loin du lieu où il habitait. Un jour que je marchais dans le centre de Paris et qu'il passait par là, il m'aperçut et s'arrêta au bord du trottoir, heureux de cette rencontre fortuite. Moi, j'étais gêné, terrorisé à l'idée qu'on puisse me voir avec lui, perché sur son étrange attelage. Qu'aurais-je répondu si on m'avait demandé : « Qui était cet homme avec qui tu bavardais ? » Dans les jours qui suivirent, j'eus du mal à me déprendre d'un écrasant sentiment de mauvaise conscience : « Pourquoi, me reprochais-je, ne pas oser assumer ce que je suis ? Pourquoi la fréquentation d'un monde bourgeois ou petit-bourgeois m'a-t-elle conduit à renier ainsi ma famille et à avoir honte d'elle à ce point ? Pourquoi avoir intériorisé dans tout mon corps les hiérarchies du monde social alors que, intellectuellement et politiquement, je proclame les combattre ? » En même temps, je maudissais ma famille d'être ce qu'elle était : « Quelle malchance, me répétais-je, d'être né dans ce milieu. » Oscillant d'une humeur à l'autre, tantôt je me blâmais, tantôt je les blâmais (mais étaient-ils responsables ? Et de quoi ?). J'étais déchiré. Mal dans ma peau. Mes convictions se trouvaient en porte-à-faux avec mon intégration dans le monde bourgeois, la critique sociale dont je me revendiquais en conflit avec les valeurs qui s'imposaient à moi, je ne peux même pas dire « malgré moi », puisque rien ne m'y contraignait, si ce n'est ma soumission volontaire aux perceptions et aux jugements des dominants. J'étais politiquement du côté des ouvriers, mais je détestais mon ancrage dans leur monde. Me situer dans le camp du « peuple » eût sans doute suscité en moi moins de tourments intérieurs et de crises morales si le peuple n'avait pas été ma famille, c'est-à-dire mon passé et donc, malgré tout, mon présent.

Mon grand-père buvait beaucoup (« il picole », disait-on de lui), et, après quelques verres de mauvais vin rouge, il se lançait dans d'interminables tirades, avec cette inventivité langagière qui caractérisait alors la faconde populaire et dont on retrouve aujourd'hui l'équivalent dans la « tchatche » des adolescents de banlieue. Il ne manquait pas de culture, savait beaucoup de choses et, croyant en savoir plus encore, ne reculait jamais devant une affirmation péremptoire – qui se révélait souvent fausse. Il était communiste comme les bourgeois sont de droite : cela lui paraissait naturel, comme un élément de l'appartenance de classe reçue à la naissance avec le patrimoine génétique. Comme mon père, avant qu'il ne cesse de l'être, et même après qu'il avait cessé de l'être, puisque, d'une certaine manière, il l'était toujours, il commençait souvent ses phrases par « Nous, les ouvriers… ». Il me raconta un jour que, alors qu'il circulait boulevard Saint-Germain, à 5 heures du matin, pour se rendre à son travail, des bourgeois avinés, sortant d'une soirée ou d'une boîte de nuit et marchant sur la chaussée, lui avaient crié : « Salaud de pauvre! » Quand il parlait de lutte des classes, cela avait un sens très concret pour lui. Il rêvait à voix haute de la révolution à venir. Quand je m'installai à Paris, je pris l'habitude d'aller déjeuner assez régulièrement avec ma grand-mère et lui le dimanche. Il arrivait à mes parents de venir de Reims pour se joindre à nous, parfois avec mes deux plus jeunes frères. Mais j'aurais été mortifié que les gens que je connaissais, et, plus tard, ceux avec qui je travaillais, sachent où ils vivaient. J'étais plus que discret à ce sujet, et quand on me posait des questions, j'éludais, ou je mentais.

Je sentais bien qu'une tension existait entre ma grand-mère et ma mère. Je n'en connus les raisons que quand ma grand-mère mourut. Ma mère tint à me raconter ce qu'elle avait toujours plus ou moins passé sous silence : l'abandon, l'orphelinat, le refus de sa mère de s'occuper d'elle après la guerre... Elle n'en avait jamais parlé à personne. « C'est mon subconscient qui l'avait occulté », se justifia-t-elle, en reprenant bizarrement le vocabulaire de la vulgate psychanalytique qu'elle avait dû entendre à la télévision, alors qu'elle s'en était évidemment toujours souvenu, mais avait préféré garder son secret, tout en ne pouvant s'empêcher d'y faire allusion de temps à autre (quand j'étais enfant, par exemple, et que je me plaignais pour une raison ou pour une autre, elle s'emportait : « T'aurais peut-être préféré être élevé à la Charité ? »). Mais, comme si l'histoire d'une famille n'était qu'une succession de hontes emboîtées les unes dans les autres, et plus ou moins tues à l'intérieur aussi bien qu'à l'extérieur du cercle familial, elle ajouta une autre révélation, qui colorait d'une touche plus noire encore ce tableau déjà bien sombre. Elle n'en avait elle-même rien su jusqu'à ce que son frère lui en

74

fasse le récit, lorsque, pour expliquer pourquoi il refusait de payer sa part pour l'hébergement de ma grand-mère dans une maison de retraite, il lui rappela qu'elle les avait abandonnés et lui apprit de surcroît d'autres événements qu'elle ignorait. Ma mère ne me répéta cette histoire que quelques mois plus tard, après le décès de leur mère. Se sentit-elle libérée de me livrer, d'un seul coup, et ce qu'elle nous avait toujours caché de son enfance, et ce qu'elle venait d'apprendre sur sa propre mère ? J'ai repensé à cette femme étrange qu'était ma grand-mère. Elle portait en elle, malgré sa gentillesse, une dureté qui se lisait dans son regard, se trahissait parfois dans les intonations de sa voix. Sans doute n'avait-elle jamais oublié cette journée d'épouvante, les cris, les coups peut-être. Et les semaines qui suivirent, le temps que ses cheveux repoussent. Que les voisins finissent par n'y plus penser, et que ce drame se réduise alors à une rumeur ressurgissant de temps à autre dans les conversations à son propos. Elle aimait « faire la noce ». Ce qui, si je traduis correctement cette expression employée par ma mère à son sujet, signifie qu'elle voulait être une femme libre, qu'elle aimait sortir le soir, qu'elle s'adonnait aux plaisirs, à la sexualité et qu'elle passait d'un homme à l'autre, sans avoir trop l'intention de s'attacher, de se fixer bien longtemps. Ses enfants étaient sans doute pour elle un embarras, et la maternité un destin subi plutôt qu'un choix de vie. À l'époque, la contraception n'avait pas cours. Et l'avortement pouvait conduire en prison. Ce qui lui arriva d'ailleurs après la guerre : elle fut condamnée à une peine de prison pour avoir avorté. Combien de temps fut-elle incarcérée ? Je ne sais pas. Ma mère ne le sait pas. Les hommes pouvaient assurément vivre leur sexualité comme bon leur semblait. Les femmes, non. Sans doute existait-il dans les milieux ouvriers une certaine liberté sexuelle, ou, en tout cas, une liberté par rapport aux règles de la morale bourgeoise, ce qui amenait précisément les défenseurs de cette morale à dénoncer les vies dissolues de ceux qui se plaisaient à vivre autrement. Pour les femmes, ce choix d'une vie libre comportait bien des risques.

Que se passa-t-il après l'armistice, en 1940, lorsque la région fut occupée par l'armée allemande? Non seulement ma grand-mère, âgée de 27 ans, alla volontairement travailler en Allemagne, mais on l'accusa également par la suite d'avoir eu – est-ce vrai, est-ce faux? – une liaison avec un officier allemand… J'essaie de l'imaginer : son désir de survivre, d'avoir de quoi manger, de ne pas connaître la misère ou les difficultés d'approvisionnement. Qui était ce soldat ennemi? Fut-elle amoureuse de lui? Ou bien chercha-t-elle simplement à s'assurer une vie meilleure que celle qu'elle avait vécue jusque-là? Ces deux explications ne sont pas exclusives l'une de l'autre. Et comment décida-t-elle d'abandonner ses enfants en même temps que son compagnon? Je n'aurai jamais de réponse à ces questions. Pas plus que je ne saurai ce qu'elle éprouva quand elle dut subir les conséquences de ses choix et qu'elle devint pareille à cette « victime », « à la robe déchirée », que plaint Éluard dans un célèbre poème de tristesse et de « remords », cette « malheureuse qui resta sur le pavé », « découronnée, défigurée[1] ».

---

1. Paul Éluard, « Comprenne qui voudra », in *Au rendez-vous allemand*, Paris, Minuit, 1945.

2

À la Libération, ma grand-mère connut donc le sort réservé à celles qui n'avaient pas mesuré la portée et les conséquences de leurs actes. Était-elle seule en cet instant qui dut pour elle durer une « éternité », lorsqu'elle fut soumise à cette « justice hâtive et imbécile », selon les mots de Duras dans *Hiroshima mon amour*, à cet « absolu d'horreur et de bêtise[1] » ? Ou bien cela se passa-t-il au cours d'un de ces châtiments collectifs dont quelques images entrecoupent parfois les documentaires sur la fin de la guerre et où l'on voit des groupes de femmes obligées de défiler sous les quolibets, les insultes et les crachats de la foule ? Je ne sais pas. Ma mère ne m'en a pas dit plus. Elle m'a dit qu'elle n'en savait pas plus. Seulement ces faits bruts et brutaux : son frère lui a raconté que leur mère avait été tondue. Après le temps de la défaite et de l'Occupation, la nation se régénérait dans sa force virile en punissant les femmes et leurs écarts sexuels, réels ou supposés, et en réaffirmant le pouvoir des hommes sur elles[2].

---

1. Marguerite Duras, *Hiroshima mon amour*, Paris, Gallimard, « Folio », 1972.
2. Cf. Fabrice Virgili, *La France « virile ». Des femmes tondues à la Libération*, Paris, Payot, 2000.

Depuis, chaque fois que j'eus l'occasion d'avoir sous les yeux des photos représentant l'une de ces scènes d'humiliation – alors que l'on sait que tant de collaborateurs de haut niveau, dans tant de milieux bourgeois, par exemple, ne connurent ni l'opprobre, ni la déchéance, ni la violence de la vindicte publique –, je ne pus m'empêcher de chercher si l'on indiquait où le cliché avait été pris, me demandant : peut-être ma grand-mère est-elle l'une d'elles ? Peut-être l'un de ces visages hagards, l'un de ces regards effrayés sont-ils les siens ? Comment parvint-elle à oublier ? Combien de temps lui fallut-il pour « sortir de l'éternité » (Duras, encore) ? Bien sûr, j'aurais préféré apprendre qu'elle avait été résistante, qu'elle avait caché des Juifs au péril de sa vie, ou simplement qu'elle avait saboté des pièces dans l'usine où elle travaillait, ou je ne sais quoi d'autre dont on puisse s'enorgueillir. On rêve toujours d'avoir eu une famille glorieuse, quel qu'ait été le titre de gloire. Mais on ne change pas le passé. On peut tout au plus se demander : comment gérer son rapport à une histoire dont on a honte ? Comment se débrouiller avec ces horreurs d'autrefois, quand on ne peut échapper à l'évidence que l'on s'inscrit, malgré soi mais malgré tout, dans cette généalogie ? Je pourrais me plaire à imaginer que cela n'a pas compté pour moi, puisque je ne le sais que depuis très peu de temps (comment l'aurais-je regardée si je l'avais su ? Aurais-je osé lui en parler ? L'émotion m'étreint aujourd'hui quand je me pose ces questions). Mais toute cette séquence – l'abandon par ma grand-mère de ses enfants, son séjour en Allemagne, etc. – eut tant de retentissement dans la vie de ma mère et dans la manière dont se sont formées sa personnalité, sa subjectivité, qu'il m'est impossible d'éviter d'en conclure que, par conséquent, cela eut un très grand retentissement également sur mes jeunes années, et sur ce qui allait s'ensuivre.

Ainsi donc, ma mère ne fit pas d'études. Elle en souffre encore. « C'est à cause de la malédiction lancée contre ma mère et moi », avance-t-elle pour expliquer tous ces malheurs, toutes ces douleurs. Sa vie durant, elle porta en elle ce drame personnel : elle aurait pu devenir autre chose que ce à quoi elle était promise, mais la guerre avait brisé net ses rêves d'enfant. Se sachant intelligente, elle ne parvint jamais à admettre cette injustice. L'un des principaux effets de cette fatalité avait été qu'elle n'avait pu aspirer à « trouver quelqu'un de mieux » que mon père. Mais les lois de l'endogamie sociale sont aussi fortes que celles de la reproduction scolaire. Et liées étroitement à celles-ci, comme elle en avait parfaitement conscience. Elle ne cessa jamais de penser – et jusqu'à aujourd'hui – qu'elle aurait pu devenir une « intellectuelle » et rencontrer « quelqu'un de plus intelligent ». Mais elle était femme de ménage, et elle rencontra un ouvrier qui n'avait pas eu la chance lui non plus de pouvoir suivre des études, et qui, de surcroît, n'avait pas l'esprit très ouvert.

Elle se maria à 20 ans, en 1950, avec le jeune homme qui allait devenir mon père. Ils eurent deux enfants dans les années qui suivirent : mon frère aîné et moi. Nous vivions dans une situation d'extrême pauvreté, pour ne pas dire de quasi-misère. Afin de ne pas aggraver les choses, ma mère décida de ne plus avoir d'enfants et n'eut d'autre recours, à plusieurs reprises, je crois, que d'avorter. Il s'agissait, bien sûr, d'avortements clandestins, donc dangereux, à tous égards, sanitaires comme judiciaires (je me souviens que mes parents se rendirent un jour dans une ville de la banlieue parisienne, Juvisy-sur-Orge, et de l'atmosphère de mystère qui entoura les préparatifs de ce voyage et le voyage lui-même, de l'inquiétude qui se lisait sur le visage de ma mère, du silence de mon père. Arrivés à Paris, ils nous laissèrent, mon frère et moi, chez ma grand-mère. Ils reparurent plusieurs heures après, et ma mère raconta à ma grand-mère, à voix basse et de manière elliptique, que tout s'était bien passé. Mon frère et moi étions très jeunes encore, mais, bizarrement, nous savions de quoi il était question, ou bien ai-je l'impression de l'avoir toujours su, après l'avoir compris plus tard, en revoyant mentalement les images de ce moment?). Mes parents allaient pourtant avoir deux autres enfants, plus tard, huit ans et quatorze ans après ma naissance.

Très tôt après leur mariage, ma mère commença de ne plus éprouver pour son mari qu'un sentiment constant d'hostilité, qui s'exprimait à grands cris, et parfois dans le bruit des portes qui claquent ou le fracas de la vaisselle jetée à terre, lors de leurs fréquentes disputes, mais, plus profondément encore, se manifestait à chaque instant ou presque de leur vie commune. Leur relation s'apparentait à une longue et incessante scène de ménage, tant ils semblaient incapables de s'adresser la parole autrement qu'en s'invectivant de la façon la plus méchante et la plus blessante possible. À plusieurs reprises, elle eut la volonté de divorcer. Elle allait alors consulter un avocat.

que s'amplifier, bien sûr – entre cet extérieur du domicile familial que représentaient le lycée, les études, ce que j'apprenais, et l'espace intérieur du foyer domestique.

Toute la frustration de ma mère de n'avoir pu suivre des études s'était exprimée dans cet éclat de rage. Cela revint souvent, par la suite, sous des formes différentes. Une simple remarque critique, l'expression d'un désaccord suffisaient à m'attirer des répliques telles que : « C'est pas parce que tu vas au lycée que tu es au-dessus de nous » ou « Tu te prends pour qui ? Tu crois que tu vaux mieux que nous ? ». Combien de fois me suis-je entendu rappeler que je n'étais pas « sorti de la cuisse de Jupiter » ? Mais la phrase qui revenait le plus fréquemment dans sa bouche consistait simplement à me rappeler qu'elle avait été privée de ce à quoi j'avais accès : « Moi, je n'ai jamais pu… » ou « Moi, je n'ai jamais eu… ». Mais, contrairement à mon père, qui invoquait sans cesse ce à quoi il n'avait « pas eu droit » pour s'étonner – et parfois tenter d'empêcher – que ses enfants aient la possibilité d'en bénéficier, ma mère laissait plutôt parler son ressentiment comme un moyen d'admettre que des perspectives me seraient ouvertes qui, pour elle, avaient toujours été fermées ou aussitôt refermées à peine entrouvertes. Elle tenait à ce que j'aie pleinement conscience de ma chance. Quand elle disait : « Moi, je n'ai jamais eu… », cela signifiait avant tout : « Toi, tu as… et tu dois savoir ce que cela représente. »

Quelle déconvenue fut la sienne lorsqu'elle s'essaya à reprendre des études ! Elle avait lu une annonce dans le journal régional : une école privée venait de se créer – des arnaqueurs, sans doute ; des gens sans scrupules, en tout cas – pour dispenser un enseignement d'informatique à des adultes désireux de se reconvertir dans de nouvelles carrières et de nouvelles professions. Elle s'y inscrivit, dépensa beaucoup d'argent pour aller, plusieurs soirs par semaine, après ses heures de travail, suivre des cours auxquels elle s'aperçut très vite qu'elle ne comprenait rien ou pas grand-chose. Elle s'obstina. S'accrocha. Répéta pendant des semaines qu'elle n'arrêterait pas, qu'elle réussirait à se mettre au niveau. Puis elle se rendit à l'évidence et s'avoua vaincue. Elle renonça. Amère, dépitée. Sa dernière chance s'était envolée.

Après avoir été longtemps femme de ménage, elle avait cessé de travailler après la naissance de mon plus jeune frère, en 1967. Cela ne dura pas : pressée par la contrainte économique, elle dut trouver un emploi et alla donc s'éreinter huit heures par jour dans une usine – j'y ai passé un mois pendant les vacances d'été après le bac et je pus constater ce qu'était la réalité d'un tel « métier » – pour que je sois en mesure de suivre des cours sur Montaigne et Balzac au lycée ou, une fois à l'université, de rester enfermé pendant des heures dans ma chambre à déchiffrer Aristote et Kant. Quand elle dormait la nuit pour se lever à 4 heures du matin, je lisais jusqu'à l'aube Marx et Trotski, puis Beauvoir et Genet. Je ne peux ici que renvoyer à la simplicité avec laquelle Annie Ernaux exprime, à propos de sa mère qui tenait une petite épicerie de quartier, la brutalité de cette vérité : « J'étais certaine de son amour et de cette injustice : elle servait des pommes de terre et du lait du matin au soir pour que je sois assise dans un amphi à écouter parler de Platon[1]. » Quand je la vois aujourd'hui, le corps perclus de douleurs liées à la dureté des tâches qu'elle avait dû accomplir pendant près de quinze ans, debout devant une chaîne de montage où il lui fallait accrocher des couvercles à des bocaux de verre, avec le droit de se faire remplacer dix minutes le matin et dix minutes l'après-midi pour aller aux toilettes, je suis frappé par ce que signifie concrètement, physiquement, l'inégalité sociale. Et même ce mot d'« inégalité » m'apparaît comme un euphémisme qui déréalise ce dont il s'agit : la violence nue de l'exploitation. Un corps d'ouvrière, quand il vieillit, montre à tous les regards ce qu'est la vérité de l'existence des classes. Le rythme de travail était à peine imaginable dans cette usine, comme dans toute usine, d'ailleurs : un contrôleur avait un jour chronométré une ouvrière pendant quelques minutes, et cela avait déterminé le nombre minimum de bocaux à « faire » par heure. C'était déjà extravagant, quasi inhumain. Mais comme une bonne partie de leur salaire se composait de primes dont l'obtention était liée au total quotidien, ma mère m'a indiqué qu'elle-même et ses collègues parvenaient à doubler ce qui était requis. Le soir, elle rentrait chez elle fourbue, « lessivée », comme elle disait, mais contente d'avoir gagné dans sa journée ce qui nous permettrait de vivre décemment. Je ne parviens pas à comprendre pourquoi et comment cette pénibilité du travail et les slogans qui servaient à la dénoncer – « À bas les cadences infernales » – ont pu disparaître des dis-

---

1. Annie Ernaux, *Une femme, op. cit.*, p. 66.

cours de la gauche et de sa perception même du monde social, alors que ce sont les réalités les plus concrètes des existences individuelles qui sont en jeu : la santé, par exemple.

À l'époque, à vrai dire, cette implacable dureté qui régit le monde du travail en usine ne me préoccupait guère, si ce n'est de manière abstraite : j'étais trop fasciné par la découverte de la culture, de la littérature, de la philosophie pour m'inquiéter des conditions de possibilité de mon accès à celles-ci. Au contraire : j'en voulais beaucoup à mes parents d'être ce qu'ils étaient, et non les interlocuteurs que j'aurais rêvé d'avoir ou ceux que certains de mes camarades d'études trouvaient en les leurs. Premier de ma famille à m'engager sur la voie d'une trajectoire ascendante, je ne fus guère enclin, adolescent, à vouloir comprendre ce qu'étaient mes parents, encore moins à essayer de me réapproprier politiquement la vérité de leur existence. Et si j'étais marxiste, je dois avouer que le marxisme auquel j'adhérais pendant mes années d'études, comme mon engagement gauchiste, n'étaient peut-être qu'une façon d'idéaliser la classe ouvrière, de la transformer en une entité mythique en regard de laquelle la vie de mes parents m'apparaissait bien condamnable. Ils désiraient ardemment posséder tous les biens de consommation courants et je voyais dans la triste réalité de leur existence quotidienne, dans leurs aspirations à un confort dont ils avaient été si longtemps privés, le signe à la fois de leur « aliénation » sociale et de leur « embourgeoisement ». Ils étaient ouvriers, avaient connu la misère et, comme tout le monde dans ma famille, comme tous les voisins, comme tous les gens que nous connaissions, ils étaient animés par l'envie de se doter de tout ce qui leur avait été refusé jusque-là, de tout ce qui avait été refusé à leurs parents avant eux. Dès qu'ils le purent, ils achetèrent, en multipliant les crédits, ce dont ils rêvaient : une voiture d'occasion puis une voiture neuve, une télévision, des meubles qu'ils commandaient sur catalogue (une table en Formica pour la cuisine, un canapé en simili-cuir pour le salon…). Je déplorais de les voir mus en permanence par la seule recherche du bien-être matériel et même par la jalousie – « Y a pas de raison qu'on n'ait pas le droit d'avoir ça nous aussi » –, et de constater que c'était peut-être cette envie et cette jalousie qui avaient gouverné jusqu'à leurs choix politiques, même s'ils n'établissaient pas un lien aussi direct entre les deux registres. Chacun, dans ma famille, aimait à se vanter du prix qu'avait coûté tel ou tel objet, car cela montrait qu'on n'était pas dans le besoin, qu'on s'en était bien sorti. Les sentiments de la fierté et de l'honneur s'investissaient dans ce goût prononcé pour l'affichage chiffré. Cela ne correspondait assurément pas aux grands récits du « mouvement ouvrier » dont j'avais la tête remplie. Mais qu'est-ce qu'un récit politique qui ne tient pas compte de ce que sont réellement ceux dont il interprète les vies et qui conduit à condamner les individus dont il parle puisqu'ils échappent à la fiction ainsi construite ? C'est en tout cas un récit qu'il convient de changer, pour en défaire l'unité, la simplicité, et y intégrer la complexité et les contradictions. Et y réintroduire le temps historique. La classe ouvrière change, elle ne reste pas identique à elle-même, et, assurément, celle des années 1960 et 1970 n'était plus la même que celle des

87

années 1930 ou 1950 : une même position dans le champ social ne recouvre pas exactement les mêmes réalités ni les mêmes aspirations[1].

Ma mère m'a rappelé récemment, sur un ton très ironique, que je ne cessais de leur reprocher d'être des « bourgeois » (« Tu disais beaucoup de bêtises comme ça, à ce moment-là, ajouta-t-elle, j'espère au moins que tu en as conscience »). Au fond, à mes yeux de l'époque, mes parents trahissaient ce qu'ils auraient dû continuer d'être quand ce dédain que j'éprouvais à leur égard n'exprimait rien d'autre que ma volonté de ne surtout pas leur ressembler. Et encore plus de ne pas ressembler à ce que j'aurais voulu qu'ils soient. Pour moi, le « prolétariat » était un concept livresque, une idée abstraite. Ils n'entraient pas dans celle-ci. Et si je me plaisais et complaisais à déplorer la distance séparant la classe « en soi » de la classe « pour soi », le « travailleur aliéné » de la « conscience de classe », la vérité, c'est que ce jugement politique « révolutionnaire » me servait à masquer le jugement social que je portais sur mes parents, ma famille, et mon désir d'échapper à leur monde. Mon marxisme de jeunesse constitua donc pour moi le vecteur d'une désidentification sociale : exalter la « classe ouvrière » pour mieux m'éloigner des ouvriers réels. En lisant Marx et Trotski, je me croyais à

1. Je renvoie ici aux belles remarques de Carolyn Kay Steedman à propos de sa mère dans *Landscape for a Good Woman. A Story of Two Lives*, New Brunswick, NJ, Rutgers University Press, 1987, p. 8-9. Voir aussi sa critique féroce du livre de Richard Hoggart, *The Uses of Literacy* (*La Culture du pauvre*), qui présente un tableau anhistorique du monde ouvrier et en célèbre la simplicité et l'immobilité psychologique, comme si la classe ouvrière avait cessé de se transformer dès lors que le futur sociologue en était sorti (*ibid.*, p. 11-12).

l'avant-garde du peuple. J'entrais plutôt dans le monde des privilégiés, dans leur temporalité, dans leur mode de subjectivation : ceux qui ont le loisir de lire Marx et Trotski. Je me passionnais pour ce que Sartre écrivait sur la classe ouvrière ; je détestais la classe ouvrière dans laquelle j'étais immergé, l'environnement ouvrier qui limitait mon horizon. M'intéresser à Marx, à Sartre, c'était pour moi le moyen de sortir de ce monde, du monde de mes parents, tout en imaginant bien sûr que j'étais plus lucide qu'eux sur leur propre vie. Mon père le sentait bien qui, me voyant un jour lire *Le Monde* – l'un des signes par lesquels j'affichais en permanence que je m'intéressais fort sérieusement à la politique – et ne sachant comment exprimer son hostilité à ce journal qu'il percevait comme n'étant pas destiné à des gens comme lui, et même comme un organe de la bourgeoisie – il était plus averti que moi ! –, me déclara, la voix pleine de colère : « C'est un journal de curé que tu es en train de lire. » Avant, sans autre commentaire, de se lever et de quitter la pièce.

Ma mère ne comprenait pas très bien ce qui se passait, ni ce que je faisais. J'étais entré dans un autre monde, où tout lui paraissait lointain, étranger. Je ne lui parlais d'ailleurs presque jamais de ce qui m'intéressait, puisqu'elle ne savait pas qui étaient ces auteurs pour lesquels je me passionnais. Une fois, alors que j'avais 15 ou 16 ans, elle prit entre ses mains un roman de Sartre posé sur mon bureau et risqua cette remarque : « Je crois que c'est très cru. » Elle avait entendu ce jugement dans la bouche d'une dame chez qui elle avait fait le ménage – une bourgeoise aux yeux de qui Sartre devait être un auteur sulfureux – et le répétait naïvement, pour me montrer peut-être qu'elle connaissait au moins le nom d'un écrivain que je lisais.

Une chose est sûre : je ne correspondais pas à l'image qu'elle s'était formée de quelqu'un qui « fait des études ». Lycéen, je militais dans une organisation d'extrême gauche, et cela occupait une bonne partie de mon temps. Mon père fut même convoqué par le proviseur, qui lui décrivit mes activités de « propagande » aux portes et à l'intérieur de l'établissement. Ce soir-là, ce fut un véritable psychodrame à la maison, et l'on me menaça de me « retirer » du lycée. Ma mère craignait que je ne rate le bac, mais surtout, elle et mon père avaient beaucoup de mal à accepter que je ne consacre pas tout mon temps au travail scolaire, alors qu'ils se tuaient à la tâche précisément pour m'en donner la possibilité. Cela les indignait, les révoltait. Je fus sommé de choisir : soit j'arrêtais la politique, soit j'arrêtais le lycée. Je déclarai que je préférais arrêter le lycée ; on n'en parla plus. Au fond, ma mère tenait à ce que je continue.

Étudiant, je contrevins encore plus aux représentations qui étaient les siennes. Le choix de la philosophie dut lui paraître saugrenu. Elle resta interloquée lorsque je le lui annonçai. Elle aurait préféré que je m'inscrive en anglais ou en espagnol (médecine ou droit n'entraient pas dans ses horizons, ni dans les miens, mais s'orienter vers l'étude des langues constituait peut-être le meilleur moyen de s'assurer un avenir en devenant professeur de lycée). Elle percevait surtout qu'un fossé se creusait entre nous. Ce que j'étais lui devenait incompréhensible, et elle disait volontiers que j'étais « excentrique ». Je devais en effet lui paraître étrange, bizarre… Je me situais de plus en plus en dehors de ce qui, à ses yeux, constituait le monde normal, la vie normale. « C'est quand même pas normal de… » est une phrase qui revenait souvent à mon propos dans sa bouche comme dans celle de mon père.

« Pas normal », « étrange », « bizarre »… Ces mots pourtant ne contenaient aucune allusion sexuelle directe ou explicite, même si, bien sûr, la perception qu'ils avaient de moi n'était pas sans lien avec le style que j'adoptais, l'image générale que je voulais donner de moi-même – je portais les cheveux très longs, ce qui provoqua pendant des années la fureur de mon père (« Tu vas aller te faire couper les cheveux! » répétait-il en tapant sur la table) –, dans lesquels sans doute se lisait déjà cette dissidence sexuelle que j'allais bientôt revendiquer. Ma mère ne découvrit que des années après que j'appartenais à la catégorie qu'elle ne réussira jamais à désigner autrement que par l'expression « les gens comme toi », son désir de mettre à distance tout vocabulaire dépréciatif et son incertitude à ce sujet lui interdisant d'employer quelque mot que ce soit et lui imposant cette périphrase maladroite. Tout récemment, alors que je lui demandais, en regardant une photo chez elle, qui étaient les trois jeunes gens qui y figuraient, elle me répondit : « C'est les enfants de B. », c'est-à-dire la compagne de mon frère aîné. Et elle ajouta : « Lui, au milieu, c'est D. ; il est comme toi. » Je ne compris pas tout de suite ce qu'elle avait voulu dire. Mais elle ajouta : « Quand il a annoncé à sa mère qu'il était… enfin… tu me comprends… qu'il était comme toi… elle l'a mis à la porte de chez eux… C'est ton frère qui l'a fait changer d'avis en lui disant qu'avec une atti-

91

tude pareille, il ne pourrait pas recevoir son propre frère chez lui… » Cela m'étonna de la part de mon frère – je l'avais connu moins tolérant autrefois, et il avait, de toute évidence, beaucoup changé sur ce point. Mais, de fait, il ne me reçoit pas chez lui : parce que je n'ai jamais essayé d'y aller ; parce que je n'ai jamais eu envie d'y aller… Et, comme tout ce livre s'efforce de le montrer, cela s'explique autant – sinon plus – par son identité sociale que par mon identité sexuelle. À partir du moment où il accepte ce que je suis, si je n'ai pas essayé de renouer le contact, c'est bien parce que je suis mal à l'aise avec ce qu'il est. Et par conséquent, aujourd'hui, je dois admettre que si nous ne nous voyons pas, la responsabilité m'en incombe plus qu'à lui. On n'efface pas aisément l'histoire. Des trajectoires à ce point divergentes ont du mal à se croiser à nouveau.

Mais sans doute cela montre-t-il également combien il est vrai que la famille, comme l'a montré Bourdieu, n'est pas une donnée stable, mais un ensemble de stratégies : si mes frères avaient été avocats, universitaires, journalistes, hauts fonctionnaires, artistes, écrivains… je les aurais fréquentés, fût-ce de manière lointaine, et, en tout cas, je les aurais revendiqués comme mes frères, et assumés comme tels. Et cela vaut pour mes oncles et tantes, mes cousins et cousines, mes neveux et nièces… Si le capital social dont on dispose, c'est d'abord l'ensemble des relations familiales que l'on entretient et que l'on peut mobiliser, je pourrais dire que ma trajectoire – et les ruptures qu'elle entraînait – me dotait non seulement d'une absence de capital social, mais même d'un capital négatif : il s'agissait d'annuler des liens plutôt que de les entretenir. Loin d'affirmer comme miens des cousins lointains, comme c'est le cas dans les familles bourgeoises, j'en étais plutôt à effacer mes propres frères de ma vie. Je ne pouvais et ne pourrais donc compter sur personne pour m'aider à avancer sur les chemins que j'emprunterais et à surmonter les difficultés que j'y rencontrerais.

Quand j'avais 18 ou 20 ans, ma mère ne me percevait pas encore comme un de ces « gens comme toi », mais elle me regardait néanmoins changer avec un étonnement croissant. Je la déroutais. Et je ne m'en souciais guère, puisque je m'étais déjà largement détaché d'elle, d'eux, de leur monde.

3

Après leur mariage, en 1950, mon père et ma mère s'installèrent dans une chambre meublée. Il n'était pas facile de trouver à se loger à Reims à l'époque, et c'est là qu'ils vécurent les premières années de leur vie commune. Deux enfants vinrent au monde, mon frère aîné et moi, et mon grand-père nous fabriqua un lit en bois où nous dormîmes tous les deux, tête-bêche. Nous habitâmes dans cette chambre jusqu'à ce que mes parents obtiennent qu'un organisme social leur octroie une maison dans une cité ouvrière récemment construite, à l'autre bout de la ville. Le mot « maison » correspond mal à ce dont il s'agissait : un cube de béton collé à d'autres cubes de béton, posés de chaque côté d'une allée parallèle à d'autres allées identiques. Tous ces logements se composaient, sur un seul étage, d'une pièce principale et d'une chambre (que nous occupâmes donc à quatre, comme auparavant). Il n'y avait pas de salle de bains, mais l'eau courante et un évier dans la grande pièce, qui servait à la fois pour la cuisine et la toilette quotidienne. L'hiver, le poêle à charbon peinait à chauffer les deux pièces et nous étions en permanence transis de froid. Quelques mètres

95

carrés de jardin agrémentaient l'ensemble d'une touche de verdure, et mon père, à force de patience, réussissait à en tirer quelques légumes.

Ai-je gardé des images de ce moment-là? Elles sont rares, floues, incertaines. Sauf l'une d'elles, précise et obsédante : mon père rentrant ivre mort après une disparition de deux ou trois jours (« Tous les vendredis soir, après sa semaine de travail, il allait faire la noce dans les bistrots et il découchait souvent », m'a raconté ma mère), se plaçant à un bout de la pièce, prenant une à une les bouteilles – huile, lait, vin – qui lui tombaient sous la main et les lançant contre le mur opposé, où elles allaient se fracasser. Mon frère et moi pleurions, blottis contre ma mère, qui répétait simplement, mais avec un mélange de colère et de désespoir dans la voix : « Fais quand même attention aux gamins. » Quand, peu après la mort de mon père, je rappelai cette scène, parmi d'autres, à ma mère pour lui expliquer pourquoi je n'avais pas souhaité assister à ses obsèques, elle s'étonna : « Tu te souviens de ça? Mais tu étais tout petit. » Oui, je m'en souvenais. Depuis toujours. Cela ne m'avait jamais quitté. Comme la trace ineffaçable d'un trauma d'enfance lié à une « scène primitive », mais qu'il conviendrait de ne surtout pas comprendre en termes psychologiques ou psychanalytiques. Car, dès lors qu'on laisse s'instaurer le règne d'Œdipe, on désocialise et dépolitise le regard porté sur les processus de subjectivation : un théâtre familialiste remplace ce qui relève en réalité de l'histoire et de la géographie (urbaine), c'est-à-dire de la vie des classes sociales. Ce ne fut pas un affaiblissement de l'imago paternelle, ni un raté de l'identification au Père – réel ou symbolique –, ni l'un ou l'autre des schémas interprétatifs que la pensée-réflexe du lacanisme ordinaire ne manquera pas d'invoquer pour y découvrir – après l'y avoir placée, bien sûr – la « clé » de mon homosexualité. Non, vraiment, rien que soient en mesure d'arraisonner les notions fabriquées par l'idéologie du psychanalysme et ressassées, ânonnées par les propagateurs de celle-ci[1]. Mais plutôt ce que je pourrais désigner comme un stade du miroir social, au cours duquel s'opère une prise de conscience de soi et de l'appartenance à un milieu dans lequel se déploie un certain type de comportements et de pratiques ; une scène d'interpellation sociale – et non psychique ou idéologique – par la découverte de la situation sociologique de classe qui assigne une place et une identité ; une reconnaissance de soi comme ce que l'on est et ce que l'on va être par l'intermédiaire d'une image qui nous est renvoyée par l'autre que l'on doit devenir… Ce qui installa en moi une volonté patiente et obstinée de contredire l'avenir auquel j'étais promis, en même temps que l'empreinte à jamais gravée en mon esprit de mon origine sociale, un « rappelle-toi d'où tu viens » qu'aucune transformation ultérieure de mon être, aucun apprentissage culturel, aucun masque ni aucun subterfuge ne parvint à effacer. C'est du moins la signification rétrospective qu'il me semble possible de donner à ce moment de mon plus lointain passé, même si je sais qu'il s'agit d'une reconstruction, comme le serait d'ailleurs toute autre interprétation, et notamment celle qu'avancerait une approche psychanalytique. Les processus de l'appar-

---

1. J'ai analysé le discours – homophobe en son principe même – de Lacan sur les « causes » de l'homosexualité dans *Une morale du minoritaire. Variations sur un thème de Jean Genet*, Paris, Fayard, 2001, p. 235-284.

tenance et de la transformation de soi, de la constitution de l'identité et du refus de celle-ci, furent donc toujours pour moi liés l'un à l'autre, imbriqués l'un dans l'autre, se combattant et se limitant l'un l'autre. L'identification sociale première (la reconnaissance de soi comme soi) fut d'emblée travaillée par la désidentification, elle-même se nourrissant sans cesse de l'identité refusée.

J'en ai toujours voulu à mon père d'avoir été cet homme-là, une sorte d'incarnation d'un certain monde ouvrier que, si l'on n'a jamais appartenu à ce milieu et jamais vécu ce passé, on ne rencontre que dans les films et les romans : « C'était du Émile Zola », m'a dit ma mère, bien qu'elle n'en ait jamais lu une ligne. Et, si l'on a appartenu à ce monde et vécu ce passé, il est malaisé de les assumer et de les revendiquer comme siens. J'ai bien conscience ici que toute ma manière d'écrire suppose – aussi bien de ma part que de la part de ceux qui me lisent – une extériorité socialement située à des milieux et à des gens qui vivent toujours les types de vie que je m'efforce de décrire et de restituer dans ce livre et dont je sais également qu'il est fort peu probable qu'ils en soient les lecteurs. On parle rarement des milieux ouvriers, mais quand on en parle, c'est le plus souvent parce qu'on en est sorti, et pour dire qu'on en est sorti et qu'on est heureux d'en être sorti, ce qui réinstalle l'illégitimité sociale de ceux dont on parle au moment où l'on veut parler d'eux, précisément pour dénoncer – mais avec une distance critique nécessaire, et donc un regard évaluant et jugeant – le statut d'illégitimité sociale auquel ils sont inlassablement renvoyés.

Au fond, ce n'est pas tant la personne qui avait accompli de tels gestes que j'avais prise en horreur que le décor social dans lequel ces gestes étaient possibles. Le lancer de bouteilles ne dura peut-être que quelques minutes : il inscrivit en moi, je crois, un dégoût de cette misère, un refus du destin auquel j'étais assigné et la blessure secrète, mais toujours vive, d'avoir à porter en moi, à jamais, ce souvenir. De tels épisodes, d'ailleurs, n'étaient pas rares. Je devais avoir 4 ou 5 ans et mon père, par conséquent, 27 ou 28. Il avait du mal à se détacher d'une certaine forme de sociabilité ouvrière (masculine en tout cas) qu'il n'avait découverte qu'à l'âge d'homme : les soirées et les beuveries entre copains, le bistrot après les heures de travail. Et puisqu'il lui arrivait de ne pas rentrer pendant plusieurs jours, il est probable qu'il ne se privait pas de finir la nuit dans le lit d'une autre femme. Il s'était marié à 21 ans et, trois ans plus tard, il avait déjà deux enfants. Sans doute avait-il envie d'échapper de temps à autre aux contraintes de la conjugalité et de la paternité et de vivre de manière différée les plaisirs d'une jeunesse libre. J'imagine qu'il voulait enfin jouir de ce qui lui avait été interdit pendant son adolescence par sa situation familiale et les charges qui pesaient sur ses épaules. Il était passé directement de la responsabilité d'une famille en tant que fils aîné à celle d'une autre en tant que mari et père. Cela devait être lourd à assumer. Et il devait avoir bien du mal à admettre que sa vie serait désormais contrainte, et à jamais, par les obligations de la vie familiale. L'écart de conduite (expression dont la connotation négative ne rend pas compte de la totalité complexe de ce qu'elle désigne) doit aussi s'entendre comme le moyen de se donner un peu d'oxygène – et de plaisir. Évidemment, un comportement analogue eût été impossible, impensable pour ma mère, qui devait, elle, s'occuper des enfants. D'ailleurs, mon père n'eût jamais toléré qu'elle fréquente les cafés, sans même parler de ne pas rentrer dormir (il l'aurait tuée – après avoir tout cassé dans la maison!).

On éprouve donc dans sa chair l'appartenance de classe lorsqu'on est enfant d'ouvrier. Quand j'écrivais mon livre sur la révolution conservatrice, je pris à la bibliothèque quelques volumes de Raymond Aron, puisque c'est de lui que se réclamèrent – fort logiquement d'ailleurs – les idéologues qui tentèrent, au cours des années 1980 et 1990, d'imposer l'hégémonie d'une pensée de droite dans la vie intellectuelle française. En parcourant quelques échantillons de la prose sans relief et sans éclat de ce professeur sentencieux et superficiel, je suis tombé sur cette phrase : « Si j'essaie de me souvenir de ma "conscience de classe" avant mon éducation sociologique, je n'y parviens qu'à peine sans que l'intervalle des années me paraisse cause de l'indistinction de l'objet ; autrement dit, il ne me semble pas démontré que chaque membre d'une société moderne ait conscience d'appartenir à un groupe nettement défini, interne à la société globale et baptisé classe. La réalité objective des groupes stratifiés est incontestable, celle des classes conscientes d'elles-mêmes ne l'est pas[1]. »

1. Raymond Aron, « Science et conscience de la société », in *Les Sociétés modernes*, Paris, PUF, « Quadrige », 2006, p. 57.

Il me semble surtout incontestable que cette absence du sentiment d'appartenir à une classe caractérise les enfances bourgeoises. Les dominants ne perçoivent pas qu'ils sont inscrits dans un monde particulier, situé (de la même manière qu'un Blanc n'a pas conscience d'être blanc, un hétérosexuel d'être hétérosexuel). Dès lors, cette remarque apparaît pour ce qu'elle est : un aveu naïf proféré par un privilégié qui croit qu'il fait de la sociologie quand il ne décrit rien d'autre que son statut social. Je n'ai rencontré ce personnage qu'une seule fois dans ma vie. Il m'inspira une aversion immédiate. J'exécrai, à l'instant même où je le vis, son sourire patelin, sa voix doucereuse, cette façon d'afficher son caractère posé et rationnel, tout ce qui au fond n'exprimait rien d'autre que son *ethos* bourgeois de la bienséance et de la modération idéologique (alors que ses écrits sont empreints d'une violence que ne manqueraient pas de percevoir ceux contre qui elle s'exerce, s'il leur arrivait d'en prendre connaissance : il suffit de lire, entre autres, ce qu'il écrivait des grèves ouvrières dans les années 1950! On a parlé de sa lucidité parce qu'il avait été anticommuniste quand d'autres s'égaraient dans le soutien à l'Union soviétique. Mais non! Il était anticommuniste par haine du mouvement ouvrier et il s'était constitué comme le défenseur idéologique et politique de l'ordre bourgeois contre tout ce qui pouvait ressortir aux aspirations et mobilisations des classes populaires. Sa plume, au fond, était mercenaire : un soldat enrôlé au service des dominants et de leur domination. Sartre eut mille fois raison de l'insulter en Mai 68. Il le méritait amplement. Saluons la grandeur de Sartre, qui osa rompre avec les règles imposées de la « discussion » académique – elles favorisent toujours l'orthodoxie, qui peut s'appuyer sur l'« évidence » et le « bon sens », contre l'hétérodoxie et la pensée critique – quand il devint important d'« insulter les insulteurs », comme nous y invite une belle formule de Genet qu'on ne devrait jamais oublier de prendre pour devise).

Pour ce qui me concerne, j'ai toujours éprouvé au plus profond de moi-même le sentiment d'appartenir à une classe. Ce qui ne signifie pas l'appartenance à une classe consciente d'elle-même. On peut avoir conscience d'appartenir à une classe sans que cette classe ait conscience d'elle-même en tant que classe, ni en tant que « groupe nettement défini ». Mais un groupe dont la réalité est malgré tout éprouvée dans les situations concrètes de la vie quotidienne. Par exemple, quand ma mère nous emmenait, mon frère et moi, les jours où nous n'avions pas école, chez les gens qui l'employaient comme femme de ménage. Pendant qu'elle travaillait, nous restions dans la cuisine, et nous entendions sa patronne lui demander d'accomplir telle ou telle tâche, lui adresser compliments et reproches (un jour, lui disant : « Je suis très déçue ; on ne peut pas vous faire confiance », et ma mère arrivant en larmes dans la cuisine, où nous étions effarés de la voir dans un tel état. Et le dégoût que j'éprouve encore, quand j'y repense – ah ! ce ton de voix ! –, pour ce monde où l'on humilie comme on respire, et la haine que j'ai conservée de cette époque pour les rapports de pouvoir et les relations hiérarchiques). J'imagine que, chez Raymond Aron, il y avait une femme de ménage, et que, en sa présence, il ne lui vint jamais à l'esprit qu'elle avait, elle, « conscience d'appartenir à un groupe social » qui n'était pas le sien, lui qui apprenait sans doute à jouer au tennis pendant qu'elle repassait ses chemises et lavait le sol de la salle de bains sous les ordres de sa mère, lui qui se préparait aux études longues et aux filières prestigieuses quand ses enfants à elle, au même âge, se préparaient à entrer en usine, ou y étaient déjà entrés. Quand je vois des photos de lui dans sa jeunesse, de sa famille, c'est le monde bourgeois qui s'y montre dans toute sa satisfaction de soi (une satisfaction consciente d'elle-même, à n'en pas douter). Et il ne s'en aperçut pas? Même rétrospectivement? Quel sociologue!

Quand j'étais enfant, mes parents étaient liés à un couple dont le mari travaillait dans les caves et la femme comme gardienne, dans un quartier chic, d'un hôtel particulier où vivait une grande famille rémoise du champagne. Ils habitaient dans une loge près de la grille d'entrée. Nous allions parfois déjeuner chez eux le dimanche, et je jouais avec leur fille dans la cour située devant l'imposante bâtisse. Nous savions qu'un autre monde existait, au-delà de la volée de marches qui donnait accès au perron et à la porte d'entrée, surmontée d'une verrière. Nous n'en avions que des images rares et fugaces : une belle voiture qui arrivait, un personnage habillé d'une façon dont nous ne connaissions aucun équivalent... Mais nous savions, d'un savoir pré-réflexif, dans l'immédiateté du rapport au monde, qu'il y avait une différence entre « eux » et « nous », entre, d'un côté, ceux qui occupaient cette maison et les amis qui leur rendaient visite et, de l'autre, ceux qui vivaient dans les deux ou trois pièces composant le logis des gardiens et les proches qu'ils accueillaient chez eux les jours de repos, c'est-à-dire mes parents, mon frère et moi. Comment nous eût-il été possible, tant la distance

103

était grande entre ces deux univers séparés par quelques dizaines de mètres, de ne pas avoir conscience du fait qu'il existe des classes sociales? Et que nous appartenions à l'une d'elles? Richard Hoggart a raison d'insister sur l'évidence du milieu dans lequel on vit lorsqu'on appartient aux classes populaires[1]. Les difficultés de la vie quotidienne la rappellent à chaque instant, et tout autant le contraste avec d'autres conditions d'existence. Comment ne pas savoir ce que l'on est, quand on voit comment sont les autres et à quel point ils sont différents de ce que l'on est?

Au début des années 1960, nous allâmes nous installer dans un immeuble HLM tout juste terminé, où ma mère, à force de démarches, avait réussi à obtenir un appartement. C'était, je crois, un bel exemple de logement social inséré dans le tissu urbain, à l'intérieur même de la ville: trois « blocs », comme on disait alors, de quatre étages, au milieu d'un quartier composé de maisons individuelles et situé entre une zone industrielle et les caves de plusieurs maisons de champagne (Taittinger, Mumm, Louis Roederer). L'appartement comprenait une salle à manger, une cuisine et – enfin! – deux chambres, celle des parents et celle des enfants. Autre nouveauté, nous disposâmes d'une salle de bains. J'allais à l'école primaire non loin de là. Et, chaque jeudi, au catéchisme, à l'église Sainte-Jeanne d'Arc. Faut-il voir là une étrange et paradoxale observance des traditions religieuses dans les milieux populaires ou une simple façon d'occuper – et

---

1. Cf. Richard Hoggart, *33 Newport Street. Autobiographie d'un intellectuel issu des classes populaires*, Paris, Gallimard/Seuil, « Hautes études », 1991.

de faire garder – les enfants les jours où ils n'avaient pas école ? Les deux à la fois, sans doute ! Mes parents étaient mécréants, et même anticléricaux. Mon père n'entrait jamais dans une église, et lors des cérémonies familiales (baptêmes, mariages, enterrements, etc.) il restait sur le parvis avec les autres hommes, pendant que les femmes se trouvaient à l'intérieur. Ils avaient pourtant tenu à nous faire baptiser, puis à nous inscrire au catéchisme – où le curé, comme il se doit, prenait les garçons sur ses genoux et leur caressait les jambes (il avait cette réputation dans le quartier et j'entendis une fois mon père clamer son dégoût des prêtres et de leurs mœurs : « Si j'apprends qu'il a touché à un de mes gosses, je le zigouille »). Nous suivîmes cette éducation religieuse jusqu'à la « communion solennelle », en aube blanche, une énorme croix de bois sur la poitrine.

J'ai trouvé chez ma mère des photos de mon frère et moi, ce jour-là, assez ridicules, avec oncles et tantes, cousins et cousines, devant la maison de ma grand-mère paternelle, où, après la cérémonie, tout ce petit monde s'était retrouvé pour un déjeuner festif, auquel sans doute ces pratiques religieuses ne servaient que de prétexte ou de permission : les rituels religieux, si absurdes soient-ils, fournissaient l'occasion d'une réunion fort païenne et remplissaient donc une fonction d'intégration familiale, avec le maintien d'un lien entre les frères et les sœurs et la création d'un lien entre leurs enfants – mes cousins et cousines –, et aussi la réaffirmation concomitante d'un entre-soi social, puisque l'homogénéité, professionnelle et culturelle, de classe s'y montrait toujours totale, sans que personne s'en soit écarté depuis la précédente réunion de famille. C'est sans doute ce qui m'empêchera d'assister par la suite à de telles cérémonies, notamment aux mariages de mes deux plus jeunes frères : l'impossibilité pour moi de me retrouver immergé dans ces formes de sociabilité et de culture qui m'auraient mis horriblement mal à l'aise, c'est-à-dire les rites de fin de repas, quand toute la table scande « Simone, une chanson ! », « René, une chanson ! », chacun ayant la sienne, tantôt comique, tantôt mélodramatique, réservée à de telles circonstances, et aussi, répétées d'année en année, les mêmes plaisanteries graveleuses, les mêmes danses, les mêmes inusables bêtises, les mêmes disputes de fin de soirée, dégénérant parfois en un début de bagarre lorsque de vieilles querelles ou de vieux contentieux, souvent liés à des soupçons d'adultère, remontaient à la surface...

Peu de choses ont changé dans cette homogénéité sociale de ma famille. Quand je découvris la maison de Muizon, je passai en revue les photos disposées un peu partout, sur les meubles, sur les murs. Je demandai à ma mère qui était telle personne, qui était telle autre. C'était la famille élargie : les enfants de mes frères, une cousine et son mari, un cousin et sa femme, etc. Chaque fois, je posai la question : « Que fait-il dans la vie ? » Les réponses dessinaient une cartographie des classes populaires d'aujourd'hui : « Il travaille à l'usine X ou Y », « Il travaille dans les caves », « Il est maçon », « Il est CRS », « Il est au chômage »… L'ascension sociale se trouvait incarnée en la personne de telle cousine, employée aux impôts, ou de telle belle-sœur, secrétaire. Nous sommes loin de la misère d'autrefois, de celle que je connus dans mon enfance – « Ils ne sont pas malheureux », « Elle gagne bien sa vie », précisait ma mère après m'avoir indiqué la profession de celui ou de celle que je lui avais désigné(e). Mais cela renvoie à la même position dans l'espace social : toute une constellation familiale dont la situation, l'inscription relationnelle dans le monde des classes n'a pas bougé.

À quelques dizaines de mètres de l'immeuble où nous nous étions installés, on construisait la chapelle de style roman dont Léonard Foujita avait dessiné les plans et qu'il allait décorer de fresques murales pour célébrer sa conversion rémoise au christianisme, survenue quelques années plus tôt dans la basilique Saint-Remi. Je ne le sus que bien plus tard : on ne s'intéressait guère à l'art, chez moi, et encore moins à l'art chrétien. Je ne l'ai visitée qu'en écrivant ce livre. Le goût pour l'art s'apprend. Je l'appris. Cela fit partie de la rééducation quasi complète de moi-même qu'il me fallut accomplir pour entrer dans un autre monde, une autre classe sociale – et pour mettre à distance celui, celle d'où je venais. L'intérêt pour la chose artistique ou littéraire participe toujours, consciemment ou non, d'une définition valorisante de soi par différenciation d'avec ceux qui n'y ont pas accès, d'une « distinction » au sens d'un écart, constitutif de soi et du regard que l'on porte sur soi-même, par rapport aux autres – les classes « inférieures », « sans culture ». Combien de fois, au cours de ma vie ultérieure de personne « cultivée », ai-je constaté en visitant une exposition ou en assistant à un concert ou à une représentation à l'opéra à quel point les gens qui s'adonnent aux pratiques culturelles les plus « hautes » semblent tirer de ces activités une sorte de contentement de soi et un sentiment de supériorité se lisant dans le discret sourire dont ils ne se départent jamais, dans le maintien de leur corps, dans leur manière de parler en connaisseurs, d'afficher leur aisance… tout cela exprimant la joie sociale de correspondre à ce qu'il convient d'être, d'appartenir au monde privilégié de ceux qui peuvent se flatter de goûter les arts « raffinés ». Cela m'intimida toujours, mais j'essayai néanmoins de leur ressembler, d'agir comme si j'étais né comme eux, de manifester la même décontraction qu'eux dans la situation esthétique.

Réapprendre à parler fut tout autant nécessaire : oublier les prononciations et les tournures de phrase fautives, les idiomatismes régionaux (ne plus dire qu'une pomme est « fière », mais qu'elle est « acide »), corriger l'accent du Nord-Est et l'accent populaire en même temps, acquérir un vocabulaire plus sophistiqué, construire des séquences grammaticales plus adéquates… bref, contrôler en permanence mon langage et mon élocution. « Tu parles comme un livre », me dira-t-on souvent dans ma famille pour se moquer de ces nouvelles manières, tout en manifestant que l'on savait bien ce qu'elles signifiaient. Par la suite, et c'est encore le cas aujourd'hui, je serai au contraire très attentif, en me retrouvant au contact de ceux dont j'avais désappris le langage, à ne pas utiliser des tournures de phrase trop complexes ou inusitées dans les milieux populaires (par exemple, je ne dirai pas « Je suis allé » mais « J'ai été »), et je m'efforcerai de retrouver les intonations, le vocabulaire, les expressions que, bien que les ayant relégués dans un recoin reculé de ma mémoire et ne les employant plus guère, je n'ai jamais oubliés : pas tout à fait un bilinguisme, mais un jeu avec deux niveaux de langue, deux registres sociaux, en fonction du milieu et des situations.

C'est pendant que nous vivions dans cet appartement que je suis entré au « lycée de garçons » de la ville. Je dois insister sur ce point : cela représentait un événement peu banal – en fait, une véritable rupture – dans l'histoire de ma famille. J'étais en effet le premier à accéder à l'enseignement secondaire, fût-ce sur la toute première marche de celui-ci. J'avais 11 ans, et mon frère aîné, qui avait deux ans de plus que moi, était resté scolarisé dans le primaire. Les deux voies séparées cohabitaient à l'époque, et le filtrage scolaire intervenait donc directement et brutalement. Il allait devenir, un an plus tard, apprenti boucher. Il ne voulait plus aller à l'école, où il s'ennuyait et considérait qu'il perdait son temps, et ma mère, voyant un jour apposée sur la porte d'une boucherie une affichette portant l'inscription « Cherche apprenti », lui demanda si ça l'intéressait. Il répondit oui, elle entra avec lui et l'affaire fut conclue. Nos trajectoires commencèrent alors de diverger. En réalité, cela remontait sans doute loin dans le temps. Bientôt, tout nous distingua, de la manière de nous habiller ou de nous coiffer jusqu'à la manière de parler ou de penser. À 15 ou 16 ans, il n'aimait que traîner avec ses copains, jouer au football avec eux, draguer les filles et écouter Johnny Hallyday, alors que je préférais rester à la maison pour lire et que mes goûts se portaient sur les Rolling Stones ou sur Françoise Hardy (dont le « Tous les garçons et les filles de mon âge » semblait avoir été écrit pour évoquer la solitude des gays), puis sur Barbara et Léo Ferré, ou Bob Dylan, Donovan et Joan Baez, chanteurs

109

« intellectuels ». Mon frère continuait d'incarner un *ethos* populaire et une manière d'être et de tenir son corps qui le rattachaient au monde social auquel nous appartenions, et moi je me fabriquais un *ethos* lycéen tout aussi typique et qui m'en éloignait (à 16 ans, je portais un duffle-coat, des chaussures Clarks « Desert Boots », et me laissais pousser les cheveux). Même notre rapport à la politique nous opposait : il ne s'y intéressait absolument pas tandis que je commençai très tôt de discourir sur la « lutte des classes », la « révolution permanente » et l'« internationalisme prolétarien ».

J'éprouvais une terrible gêne lorsqu'on me demandait ce qu'il faisait et je m'arrangeais toujours pour ne pas dire la vérité. Il assista avec une certaine incrédulité et beaucoup d'ironie à ma transformation en jeune « intellectuel » (et en jeune gay aussi, ce qui ne lui avait évidemment pas échappé, même si ses sarcasmes visaient une allure générale, un style perçus par lui, si soucieux d'incarner les valeurs masculines des classes populaires, comme « efféminés », plutôt qu'une sexualité particulière dont je commençais à peine de percevoir moi-même les signes précurseurs et les troublants appels). Nous habitions toujours sous le même toit, désormais dans une cité HLM à la périphérie de la ville, où nous avions finalement emménagé en 1967. Nos chambres – j'étais seul dans la mienne car, lycéen, je devais y travailler ; il partageait la sienne avec un de nos jeunes frères, le plus petit dormant dans la chambre des parents – n'étaient séparées que par un étroit couloir, mais nous différions chaque jour un peu plus. Nous adhérions pleinement à nos choix ou à ce que nous pensions être nos choix. Par conséquent, nous ne pouvions manquer d'être tous deux embarrassés, et d'un embarras croissant, par ce que l'autre devenait. Lui correspondait sans problème et sans distance au monde qui était le nôtre, aux métiers qui se proposaient à nous, à l'avenir qui se dessinait pour nous. Moi, je n'allais pas tarder à éprouver et cultiver l'intense sentiment d'un écart que les études et l'homosexualité concourraient à installer dans ma vie : je n'allais être ni ouvrier, ni boucher, mais autre que ce à quoi j'étais socialement destiné. Il fit son service militaire, se maria aussitôt après (il devait avoir 21 ou 22 ans) et eut très vite deux enfants… De mon côté, j'entrai à l'université à 18 ans, quittai le domicile familial à 20 (donc peu de temps après lui) pour vivre seul et libre, et désirai plus que tout être « réformé » pour éviter d'aller à l'armée (ce qui allait être le cas, quelques années plus tard, puisque, après avoir bénéficié de la période maximale de ce qu'on appelait le « sursis » pour pouvoir suivre des études, je simulai, lors des « trois jours » préludant à l'incorporation, des troubles de la vue et de l'audition qui amenèrent le médecin-chef de la caserne de Vincennes à me demander : « Que faites-vous dans la vie ? – Je prépare l'agrégation de philosophie. – Eh bien continuez, ça vaudra mieux pour tout le monde. » J'avais alors 25 ans, et j'eus bien du mal à contenir et à dissimuler la joie qui me submergea en cet instant).

4

Pendant près de trente-cinq ans, je n'allais plus revoir ce frère avec qui j'avais partagé mon enfance et une partie de mon adolescence. Tandis que j'écris ce livre, il vit des aides sociales en Belgique en raison de son incapacité physique, aujourd'hui, à exercer son métier (ou un autre) : porter des carcasses d'animaux pendant des années lui a détruit les épaules. Et si je n'ai plus aucun lien avec lui, il va de soi, je l'ai souligné dans un chapitre précédent, que la faute m'en incombe.

Nous étions déjà comme des étrangers l'un pour l'autre quand nous habitions ensemble, puis, pendant les deux ou trois années qui suivirent notre départ, quand nous nous retrouvions à l'occasion d'une réunion de famille, simplement rattachés l'un à l'autre par notre passé commun, et par la médiation du rapport que nous entretenions avec nos parents, étroit pour lui, distendu pour moi.

Je le voyais se satisfaire de tout ce que j'aspirais à quitter, adorer tout ce que je détestais. Pour dépeindre les sentiments que j'éprouvais à l'égard de mon frère, je pourrais reprendre presque mot pour mot ce qu'écrit John Edgar

Wideman en parlant du sien dans *Brothers and Keepers* :
« Mon succès se mesurait à la distance que j'avais placée entre nous. » Comment mieux dire ? D'une certaine
manière, cela signifie que mon frère me servait implicite-
ment de point de repère. Ce que je voulais se résumait à
ceci : ne pas être comme lui. En s'adressant mentalement
à son frère, Wideman s'interroge : « Étais-je pour toi aussi
étranger que tu me le paraissais ? » Me posais-je la question à l'époque ? J'en connaissais la réponse, et j'en étais
heureux, puisque je cherchais par tous les moyens à lui
devenir étranger. Je me reconnais encore dans le propos
de Wideman lorsqu'il remarque : « Parce que nous étions
frères, les vacances, les fêtes de famille nous amenaient
dans les mêmes lieux au même moment, mais ta présence
me mettait mal à l'aise[1]. » En fait, en ce qui me concerne,
tout me mettait mal à l'aise en ces occasions, puisque
mon frère coïncidait avec ce monde qui n'était déjà plus
le mien, tout en l'étant encore. Dans la mesure où, pour
Wideman, « quitter Pittsburgh, la pauvreté, la négritude »
et aller à l'université avait représenté la voie d'un exil
choisi, il est bien évident qu'il lui était difficile de parcourir, à intervalles réguliers, le chemin en sens inverse. À
chaque retour à la maison, il ne pouvait que retrouver,
inchangée, la réalité qui lui avait donné envie de partir – et,
par là même, constater sa réussite de plus en plus grande
dans son effort d'éloignement à mesure que le temps passait. Ce qui ne l'empêchait pas d'éprouver un certain sentiment de culpabilité vis-à-vis de ceux qu'il avait laissés

---

1. John Edgar Wideman, *Brothers and Keepers* [1984], trad. fr. *Suis-je le gardien de mon frère ?*, Gallimard, « Folio », 1999, p. 56 et 55.

derrière lui. Doublé pourtant d'un sentiment de peur :
« La peur voisine avec la culpabilité. La peur de réveiller en
moi les marques de la pauvreté et du danger que je retrouvais autour de moi quand je retournais à Pittsburgh. »
Oui : la peur d'être « contaminé et de traîner partout le
poison dans ma fuite. La peur qu'on découvre le diable en
moi et qu'on me rejette comme un lépreux ». Le constat
qu'il dresse en pensant à son frère est finalement assez
simple : « Ton monde. La négritude qui m'accuse[1]. » Je
pourrais utiliser les mêmes mots, les mêmes phrases quant
à la façon dont je percevais mon frère à l'époque : ton
monde, la culture ouvrière, cette « culture du pauvre » qui
m'accusait, et dont j'avais peur qu'elle me colle à la peau
dans ma fuite éperdue. Il me fallait exorciser le diable en
moi, le faire sortir de moi. Ou le rendre invisible, pour
que personne ne puisse deviner sa présence. Ce fut pendant des années un travail de chaque instant.

Il me suffit de citer ces quelques lignes de Wideman
pour décrire le fardeau que je transportais partout avec
moi pendant mon adolescence, et bien plus tard encore :
c'est de moi qu'elles parlent (bien que je n'ignore pas, est-
il besoin de le préciser, les limites de cette transposition : si
je me reconnais dans la description que donne Wideman
du délitement de ses liens avec sa famille, et notamment
avec son frère, ou, plus exactement, de la transformation
de ces liens en rapport de distance et de rejet, la situation
qu'il décrit est évidemment fort différente de la mienne,
puisque, issu d'un quartier noir pauvre de Pittsburgh,
il est devenu professeur d'université et écrivain célèbre

---

1. *Ibid.*, p. 57 et 56.

alors que son frère est emprisonné à vie après avoir été condamné pour meurtre. C'est cette histoire tragique qu'il essaie de comprendre dans ce livre magnifique).

Wideman a raison de le souligner : il lui fallait choisir et il avait choisi. Moi aussi, j'ai choisi. Et, comme lui, je me suis choisi. Encore n'éprouvais-je que par intermittence cette culpabilité qu'il évoque. Le sentiment de ma liberté me grisait. La joie d'échapper à mon destin. Cela laissait peu de place au remords. Je n'ai aucune idée de ce que mon frère pense actuellement de tout cela. Ni de ce qu'il peut bien dire lorsqu'il s'exprime à ce sujet. Par exemple, quand quelqu'un lui demande si je suis de sa famille après une de mes apparitions – que j'essaie de maintenir fort rares – à la télévision.

Quelle ne fut pas ma stupeur quand ma mère m'apprit que mes deux plus jeunes frères (de huit et quatorze ans plus jeunes que moi) avaient considéré que je les avais « abandonnés » et qu'ils avaient beaucoup souffert – et, pour l'un d'eux au moins, qu'il souffrait toujours – de cet abandon ! Je ne m'étais jamais posé la question : comment avaient-ils perçu mon éloignement croissant, puis total ? Qu'avaient-ils ressenti ? Comment me percevaient-ils ? Qui étais-je pour eux ? Je devins comme un fantôme dans leur vie. Plus tard, ils parleraient de moi à leurs femmes, à leurs enfants… Mais sans que jamais ni celles-ci ni ceux-ci me rencontrent. Lorsque l'un d'eux divorça, sa femme, qui ne m'avait jamais vu, lui lança au visage, au milieu d'une série de griefs – je le tiens de ma mère : « Et ton frère Didier, ce n'est qu'un pédé qui a abandonné sa famille. » Comment pourrais-je dire que c'est faux ?

N'énonçait-elle pas, en quelques mots, toute la vérité? Toute ma vérité?

Je fus égoïste. Il s'agissait de me sauver moi-même, et je n'étais guère enclin – j'avais 20 ans! – à prêter attention aux dégâts que ma fuite provoquait. Mes deux jeunes frères connurent un destin scolaire à peu près analogue à celui de mon frère aîné : ils entrèrent au collège (la filière désormais unique pour tous les élèves) à 11 ans, puisqu'ils le devaient, et en sortirent dès qu'ils le purent, à l'âge de 16 ans, après avoir végété quelque temps dans les classes « professionnelles » d'un lycée technique pour l'un, dans une section littéraire pour l'autre (« L'école n'était pas faite pour moi », m'a déclaré tout récemment l'un d'eux en réponse aux questions que je lui avais adressées par courrier électronique pour écrire ce livre). Aucun des deux n'alla jusqu'au bac. Le premier avait envie de devenir mécanicien ; il vend aujourd'hui des voitures à la Réunion. Il gagne bien sa vie, me dit ma mère. Le second s'engagea dans l'armée à 17 ans. Il est resté militaire, ou, plus exactement, il est entré dans la gendarmerie où il a accédé à un petit grade. Tous deux votent à droite, bien sûr, après avoir été pendant très longtemps, et jusqu'à une date très récente, de fidèles électeurs du Front national. Ainsi, quand je manifestais contre les succès électoraux de l'extrême droite, ou quand je soutenais les immigrés et les sans-papiers, c'est contre ma famille que je protestais! Mais je pourrais aussi bien renverser la phrase et dire que c'est ma famille qui s'était dressée contre tout ce à quoi j'adhérais, contre tout ce que je défendais et donc contre tout ce que j'étais et représentais à leurs yeux (un intellectuel parisien coupé des réalités et ignorant des problèmes que rencontrent les gens du peuple). Cependant, ce vote de mes frères pour un parti qui m'inspire une profonde horreur, puis pour un candidat à la présidentielle appartenant à une droite plus classique qui sut capter cet électorat, semble tellement relever d'une fatalité sociologique, obéir à des lois sociales – ce qui vaut donc aussi pour mes choix politiques –, que j'en reste perplexe. Je ne suis plus aussi certain qu'auparavant du jugement que je dois porter sur tout cela. Il est assez facile de se persuader, de façon abstraite, qu'on n'adresserait pas la parole ou qu'on ne serrerait pas la main à quelqu'un qui vote pour le Front national... Mais comment réagir quand on découvre qu'il s'agit de sa propre famille ? Que dire ? Que faire ? Et que penser ?

Mes deux plus jeunes frères se hissèrent donc au-dessus de la condition qui avait été celle de nos parents. On peut parler ici d'une ascension sociale, même si celle-ci reste fondamentalement liée à l'origine de classe et limitée dans son mouvement par celle-ci et par les déterminismes qu'elle emporte, à commencer par la déscolarisation volontaire et le champ dès lors restreint des types de métiers ou de carrières professionnelles qui s'offrent à ceux que le système scolaire exclut en leur laissant croire qu'ils choisissent cette exclusion.

Me voici désormais confronté à ces interrogations : et si je m'étais intéressé à eux ? Si je les avais aidés dans leur scolarité ? Si j'avais essayé de leur donner le goût de la lecture ? Car l'évidence des études, l'amour des livres et l'envie de lire ne sont pas des dispositions universellement distribuées, mais au contraire étroitement corrélées avec les conditions sociales et le milieu d'appartenance. Et ces conditions sociales les portaient, comme presque tous les autres dans ce même milieu, à refuser et rejeter ce vers quoi un miracle m'avait poussé. Aurais-je dû prendre conscience qu'un tel miracle pouvait se reproduire et qu'il serait moins improbable dès lors qu'il s'était déjà accompli pour l'un d'entre nous et que ce dernier – moi ! – pouvait donc transmettre à ceux qui le suivaient et ce qu'il avait appris, et le désir d'apprendre ? Mais il y eût fallu de la patience et du temps, et donc que je maintienne un contact étroit avec ma famille. Cela eût-il suffi à enrayer la logique implacable de l'élimination scolaire ? Cela eût-il permis de combattre les mécanismes de la reproduction sociale qui fondent leur efficacité sur la contribution que leur apporte l'inertie des *habitus* de classe ? Je ne fus en rien le « gardien » de mes frères et il m'est difficile, désormais, de ne pas me sentir – mais il est un peu tard – coupable.

Bien avant d'éprouver ce sentiment de « culpabilité », je me suis vu et pensé comme un « miraculé » du système scolaire, c'est-à-dire qu'il m'apparut bien vite que les destinées de mes trois frères n'étaient pas ou ne seraient pas identiques ou analogues à la mienne, au sens où les effets du verdict social rendu à notre encontre dès avant notre naissance les frappèrent avec une violence beaucoup plus grande que cela ne fut le cas pour moi. Dans un autre de ses romans, intitulé *Fanon*, Wideman évoque à merveille cette puissance des verdicts et la conscience qu'il en eut toujours, aussi bien que le sentiment d'être un miraculé, puisqu'il parvint à échapper aux destins définis par

119

avance. Son frère est en prison. Il va lui rendre visite avec sa mère. Il sait qu'il aurait pu être celui qui se trouve derrière les barreaux, se demande pourquoi il n'est pas celui-là et comment il a pu échapper à ce qui s'apparente à une fatalité pour les jeunes Noirs des quartiers déshérités : « Combien d'hommes noirs en prison et pour combien de temps, on pourrait s'embrouiller l'esprit avec les chiffres, se révolter devant la sinistre probabilité et l'évidente disproportion. Affreuse montagne de statistiques brutes auxquelles il est difficile de donner un sens, mais parfois, une simple possibilité suffisante pour me bouleverser – il n'y aurait rien d'étonnant, et même rien de plus facile pour moi, après tout, d'être mon frère. Nos destins échangés, sa part pour moi, la mienne pour lui. Je me souviens de tous ces repas pris à la même table, de ces nuits passées pendant des années sous le même toit, partageant les mêmes parents et les mêmes frères et sœurs, les mêmes grands-parents oncles tantes cousins et cousines, ce que je veux dire, ce que les statistiques révèlent étant : il n'y aurait rien d'étonnant à ce que je sois incarcéré. » Wideman nous oblige donc à admettre ceci : le fait irréfutable que certains – nombreux, sans doute – s'écartent des voies « statistiques » et déjouent la terrible logique des « chiffres » n'annule en rien, comme voudrait le laisser croire l'idéologie du « mérite personnel », la vérité sociologique révélée par ceux-ci. Et si j'avais suivi le même chemin que mes frères, serais-je comme eux? Je veux dire : aurais-je voté pour le Front national? M'insurgerais-je moi aussi contre les « étrangers » qui envahissent notre pays et « s'y croient chez eux »? Aurais-je partagé avec eux les mêmes réactions et les mêmes discours de défense contre ce qu'ils considèrent comme une agression permanente perpétrée contre eux par la société, l'État, les « élites », les « puissants », les « autres »…? À quel « nous » appartiendrais-je? À quel « eux » m'opposerais-je? Bref, quelle serait ma politique? Ma manière de résister à l'ordre du monde ou bien d'y adhérer?

Wideman n'hésite pas à parler d'une guerre menée contre les Noirs (il n'est ni le premier ni le seul à poser ce regard sur la société américaine : cette perception s'inscrit dans une longue tradition de pensée – et d'expérience). Il le dit à sa mère : « Une guerre est en cours, elle est menée contre les gens comme nous dans le monde entier et le parloir de cette prison en est l'un des champs de bataille. » Sa mère lui répond qu'il exagère, qu'elle ne voit pas les choses de cette façon, et elle préfère mettre en avant la responsabilité individuelle dans le déroulement de tous ces drames. Mais il maintient sa position : « Une guerre menée par un ennemi que nombre d'entre nous ne considèrent pas comme un ennemi, une guerre totale menée par un adversaire implacable[1]. » C'est cette idée que met en scène ce roman, dans lequel il entrecroise une réflexion politique sur une Amérique racialement divisée et une méditation sur Frantz Fanon et l'importance de son œuvre et de sa vie pour la conscience noire, l'affirmation de soi, la fierté de soi, la politique de soi, ou, tout simplement la « colère noire », et donc pour la résistance face à l'ennemi, à sa

1. John Edgar Wideman, *Fanon*, Boston-New York, Houghton Mifflin, 2008, p. 62-63.

toute-puissance, à son omniprésence. D'ailleurs, son frère, dans son adolescence, bien avant d'être arrêté, gardait dans sa poche un exemplaire de *Peaux noires, masques blancs*, qu'il se promettait de lire un jour : un livre peut revêtir une grande signification avant même qu'on l'ait lu… il suffit que l'on sache qu'il a compté pour d'autres dont on se sent proche.

Est-il possible de poursuivre la transposition que j'ai opérée plus haut et de parler d'une guerre implacable menée par la société, dans le fonctionnement le plus banal de ses mécanismes les plus ordinaires, par la bourgeoisie, par les classes dominantes, par un ennemi invisible – ou trop visible –, contre les classes populaires en général ? Il suffirait de regarder les statistiques de la population carcérale en France ou en Europe pour s'en convaincre : les « chiffres » seraient éloquents, qui indiqueraient la « sinistre probabilité » pour les jeunes hommes des banlieues déshéritées – et notamment ceux qu'on définit comme « issus de l'immigration » – de se retrouver derrière les barreaux. Et il ne serait pas exagéré de décrire les « cités » autour des villes françaises aujourd'hui comme le théâtre d'une guerre civile larvée : la situation de ces ghettos urbains montre à l'envi comment on traite certaines catégories de la population, comment on les repousse aux marges de la vie sociale et politique, comment on les réduit à la pauvreté, à la précarité, à l'absence d'avenir ; et les grandes révoltes qui embrasent à intervalles réguliers ces « quartiers » ne sont que la condensation soudaine d'une multitude de batailles fragmentaires dont le grondement ne s'éteint jamais.

Mais je serais également tenté d'ajouter que des réalités statistiques comme l'élimination systématique des classes populaires du système scolaire et les situations de ségrégation et d'infériorité sociales auxquelles ces dernières sont vouées par la puissance de tels mécanismes ne peuvent s'interpréter autrement. Je sais que l'on va m'accuser de tomber dans une théorie du complot social, en dotant les institutions de fonctions souterraines et même d'intentions maléfiques. C'est ce que Bourdieu reprochait précisément à la notion althussérienne d'« appareils idéologiques d'État » : elle tend à penser dans les termes d'un « fonctionnalisme du pire ». Un appareil, écrit-il, ce serait « une machine infernale, programmée pour atteindre certains buts », ajoutant que « ce fantasme du complot, l'idée qu'une volonté démoniaque est responsable de tout ce qui se passe dans le monde social, hante la pensée critique[1] ». Sans doute a-t-il raison ! Il est indéniable que le concept d'Althusser nous renvoie à une vieille dramaturgie – ou plutôt à une vieille logomachie – marxiste où des entités à majuscules s'affrontent comme sur la scène d'un théâtre (purement scolastique). On pourrait cependant souligner que certaines des formulations de Bourdieu s'approchent étonnamment de ce qu'il tient tant à récuser, même s'il s'agit moins chez lui de désigner une volonté cachée que des « résultats objectifs ». Par exemple quand il écrit : « Quelle est la fonction réelle d'un système d'enseignement qui fonctionne de manière à éliminer de l'école,

---

1. Pierre Bourdieu, *Réponses. Pour une anthropologie réflexive*, Paris, Seuil, 1992, p. 78.

tout au long du cursus scolaire, les enfants des classes populaires et, à moindre degré, des classes moyennes[1] ? »

La « fonction réelle » ! Évidente. Indéniable. Et, comme Wideman, qui ne veut pas renoncer à sa perception immédiate du monde malgré les remarques raisonnables de sa mère, je ne puis m'empêcher de voir dans le système scolaire tel qu'il fonctionne sous nos yeux une véritable machine infernale, sinon programmée pour atteindre ce but, du moins aboutissant à ce résultat objectif : rejeter les enfants des classes populaires, perpétuer et légitimer la domination de classe, l'accès différentiel aux métiers et aux positions sociales. Une guerre se mène contre les dominés, et l'École en est donc l'un des champs de bataille. Les enseignants font de leur mieux ! Mais ils ne peuvent rien, ou si peu, contre les forces irrésistibles de l'ordre social, qui agissent à la fois souterrainement et au vu de tous, et qui s'imposent envers et contre tout.

---

1. Pierre Bourdieu, « L'idéologie jacobine » [1966], in *Interventions. Science sociale et action politique, 1961-2001*, Marseille, Agone, 2002, p. 56.

III

1

J'ai dit plus haut que, pendant mon enfance, toute ma famille était « communiste », au sens où la référence au Parti communiste constituait l'horizon incontesté du rapport à la politique, son principe organisateur. Comment devint-elle une famille où il parut possible, et parfois presque aussi naturel, d'accorder son suffrage à l'extrême droite ou à la droite ?

Que s'est-il passé pour que tant de gens dont les réactions spontanées exprimaient un dégoût viscéral à l'encontre de ceux qu'on percevait dans les milieux ouvriers comme des ennemis de classe et qu'on se plaisait à invectiver à travers l'écran – façon étrange mais efficace de se conforter dans ce que l'on est et dans ce que l'on croit – se mettent à voter par la suite pour le Front national ? Ce fut, j'en suis certain, le cas de mon père. Et que s'est-il passé pour qu'un nombre non négligeable d'entre eux reportent ensuite leurs voix au deuxième tour sur les candidats de la droite classique autrefois honnie (avant d'en venir à voter dès le premier tour pour un représentant caricatural de la bourgeoisie d'affaires, élu grâce à eux à la présidence de la République) ? Quelle

127

responsabilité écrasante la gauche officielle porte-t-elle dans ce processus ? Quelle responsabilité portent ceux qui, après avoir relégué leur engagement des années 1960 et 1970 dans le passé révolu des frasques de jeunesse et accédé aux fonctions de pouvoir et aux positions d'importance, s'évertuèrent à imposer les idées de la droite en essayant de renvoyer aux oubliettes de l'histoire tout ce qui avait constitué l'une des préoccupations essentielles de la gauche, et même l'un de ses caractères fondateurs depuis le milieu du xixᵉ siècle, c'est-à-dire l'attention portée à l'oppression et aux antagonismes sociaux, ou tout simplement la volonté de donner une place aux dominés dans l'espace politique ? Ce n'est pas seulement le « mouvement ouvrier », ses traditions et ses luttes qui disparurent du discours politique et intellectuel et de la scène publique, mais les ouvriers eux-mêmes, leur culture, leurs conditions de vie, leurs aspirations[1]…

Quand j'étais lycéen et gauchiste (trotskiste), mon père ne cessait de tempêter contre « les étudiants » qui « veulent nous dire ce qu'il faut faire » et qui « dans dix ans viendront nous commander ». Aussi intransigeante qu'épidermique, sa réaction me paraissait alors contraire aux « intérêts historiques de la classe ouvrière » et due à l'emprise sur celle-ci d'un vieux Parti communiste mal déstalinisé et soucieux avant tout d'entraver la marche inéluctable de la révolution. Comment pourrais-je désormais penser que mon père avait tort ? Quand on voit ce que sont devenus ceux qui prônaient la guerre civile

---

1. Cf. Stéphane Beaud et Michel Pialoux, *Retour sur la condition ouvrière. Enquête aux usines Peugeot de Sochaux-Montbéliard*, Paris, Fayard, 1999.

et se grisaient de la mythologie de l'insurrection prolétarienne! Ils sont toujours aussi sûrs d'eux-mêmes, et aussi véhéments, mais, à quelques rares exceptions près, c'est aujourd'hui pour dénoncer la moindre velléité de protestation venue des milieux populaires. Ils ont rejoint ce à quoi ils étaient socialement promis, ils sont devenus ce qu'ils devaient devenir et ils se sont transformés par là même en ennemis de ceux dont ils prétendaient hier incarner l'avant-garde et qu'ils jugeaient trop timorés et trop « embourgeoisés ». On raconte que Marcel Jouhandeau, voyant passer un cortège d'étudiants en Mai 68, leur lança : « Rentrez chez vous! Dans vingt ans, vous serez tous notaires. » C'est, peu ou prou, quoique pour des raisons diamétralement opposées, ce que mon père pensait ou ressentait. Et c'est bien ce qui se produisit. Notaires, peut-être pas, mais notables, à n'en pas douter, installés politiquement, intellectuellement, personnellement, au terme de trajectoires souvent stupéfiantes, dans le confort de l'ordre social et la défense du monde tel qu'il est, c'est-à-dire tel qu'il convient parfaitement à ce qu'ils sont désormais.

En 1981, François Mitterrand, apportant enfin l'espoir d'une victoire de la gauche, réussit à capter environ un quart de l'électorat du Parti communiste, dont le candidat n'obtint que 15 % des voix au premier tour, alors qu'il en rassemblait encore 20 ou 21 % aux législatives de 1977. Cet effritement, prélude à l'effondrement à venir, s'explique en grande partie par l'incapacité du « parti de la classe ouvrière » à évoluer et à rompre avec le régime soviétique (par lequel, il est vrai, il était largement financé).

Par son incapacité aussi à prendre en considération les nouveaux mouvements sociaux qui s'étaient développés dans le sillage de Mai 68. Il ne correspondait guère, c'est le moins qu'on puisse dire, aux volontés de transformation sociale et d'innovation politique qui avaient marqué les années 1960 et 1970, et dont 1981 constituait en quelque sorte l'aboutissement. Mais la victoire de la gauche, avec la mise en place d'un gouvernement auquel participèrent les communistes, allait bien vite déboucher sur une forte désillusion des milieux populaires, et sur une désaffection à l'égard des politiciens auxquels ils avaient accordé leur confiance, et donc leurs suffrages, et par lesquels ils se sentirent négligés et trahis. J'entendis alors souvent cette phrase (ma mère me la répétait chaque fois qu'elle avait l'occasion de me parler) : « La gauche, la droite, il n'y a pas de différences, ils sont tous pareils, et c'est toujours les mêmes qui payent. »

La gauche socialiste se lançait sur la voie d'une mutation profonde, qui allait s'accentuer d'année en année, et commençait de se placer avec un enthousiasme suspect sous l'emprise d'intellectuels néoconservateurs qui, sous couvert de renouveler la pensée de gauche, travaillaient à effacer tout ce qui faisait que la gauche était la gauche. Se produisait, en réalité, une métamorphose générale et profonde des *ethos* autant que des références intellectuelles. On ne parla plus d'exploitation et de résistance, mais de « modernisation nécessaire » et de « refondation sociale »; plus de rapports de classe, mais de « vivre-ensemble »; plus de destins sociaux, mais de « responsabilité individuelle ». La notion de domination et l'idée d'une polarité structurante entre les dominants et les dominés disparurent du

130

paysage politique de la gauche officielle, au profit de l'idée neutralisante de « contrat social », de « pacte social », dans le cadre desquels des individus définis comme « égaux en droit » (« égaux »? Quelle obscène plaisanterie!) étaient appelés à oublier leurs « intérêts particuliers » (c'est-à-dire à se taire et à laisser les gouvernants gouverner comme ils l'entendaient). Quels furent les objectifs idéologiques de cette « philosophie politique », diffusée et célébrée d'un bout à l'autre du champ médiatique, politique et intellectuel, de la droite à la gauche (ses promoteurs s'évertuant d'ailleurs à effacer la frontière entre la droite et la gauche, en attirant, avec le consentement de celle-ci, la gauche vers la droite)? L'enjeu était à peine dissimulé : l'exaltation du « sujet autonome » et la volonté concomitante d'en finir avec les pensées qui s'attachaient à prendre en considération les déterminismes historiques et sociaux eurent pour principale fonction de défaire l'idée qu'il existait des groupes sociaux – des « classes » – et de justifier ainsi le démantèlement du *welfare state* et de la protection sociale, au nom d'une nécessaire individualisation (ou décollectivisation, désocialisation) du droit du travail et des systèmes de solidarité et de redistribution. Ces vieux discours et ces vieux projets, qui étaient jusqu'alors ceux de la droite, et ressassés obsessionnellement par la droite, mettant en avant la responsabilité individuelle contre le « collectivisme », devinrent aussi ceux d'une bonne partie de la gauche. Au fond, on pourrait résumer la situation en disant que les partis de gauche et leurs intellectuels de parti et d'État pensèrent et parlèrent désormais un langage de gouvernants et non plus le langage des gouvernés, s'exprimèrent au nom des gouvernants (et avec eux) et

131

non plus au nom des gouvernés (et avec eux), et donc qu'ils adoptèrent sur le monde un point de vue de gouvernants en repoussant avec dédain (avec une grande violence discursive, qui fut éprouvée comme telle par ceux sur qui elle s'exerça) le point de vue des gouvernés. Tout au plus daigna-t-on, dans les versions chrétiennes ou philanthropiques de ces discours néoconservateurs, remplacer les opprimés et les dominés d'hier – et leurs combats – par les « exclus » d'aujourd'hui – et leur passivité présomptive – et se pencher sur eux comme les destinataires potentiels, mais silencieux, de mesures technocratiques destinées à aider les « pauvres » et les « victimes » de la « précarisation » et de la « désaffiliation ». Ce qui n'était qu'une autre stratégie intellectuelle, hypocrite et retorse, pour annuler toute approche en termes d'oppression et de lutte, de reproduction et de transformation des structures sociales, d'inertie et de dynamique des antagonismes de classe [1].

Cette mutation des discours politiques transforma la perception du monde social et donc, de façon performative, le monde social lui-même, puisqu'il est, dans une large mesure, produit par les catégories de pensée à travers lesquelles on le regarde. Mais faire disparaître des discours politiques les « classes » et les rapports de classe, les effacer des catégories théoriques et cognitives n'empêche nullement ceux qui vivent la condition objective que le mot

---

1. Le fait qu'ait pu prospérer le concept aussi inepte que réactionnaire d'« individualisme de masse » pour analyser la « précarisation » du monde du travail nous renseigne beaucoup plus sur la triste trajectoire, les menant de la gauche critique vers les cénacles technocratiques et la pensée néoconservatrice, des sociologues qui l'utilisent que sur la réalité des « métamorphoses de la question sociale ».

« classe » servait à désigner de se sentir collectivement délaissés par ceux qui leur prêchent les bienfaits du « lien social », en même temps que l'urgence d'une « nécessaire » déréglementation de l'économie et d'un tout aussi « nécessaire » démantèlement de l'État social[1]. Des pans entiers des couches les plus défavorisées allaient donc, comme par un effet quasi automatique de redistribution des cartes politiques, se tourner vers le parti qui semblait être le seul à se préoccuper d'elles et, en tout cas, offrait un discours s'efforçant de redonner un sens à leur expérience vécue. Et cela bien que les instances dirigeantes de ce parti n'aient pas été composées, loin s'en faut, de membres issus des classes populaires, contrairement à ce qui avait été le cas au Parti communiste, où l'on veillait à sélectionner des militants venant du monde ouvrier, en lesquels les électeurs pouvaient se reconnaître. Ma mère a fini par admettre, après m'avoir toujours affirmé le contraire, qu'il lui était arrivé de voter pour le Front national (« une seule fois », précisa-t-elle, mais je ne suis pas certain qu'il faille la croire sur ce point. « C'était pour donner un coup de semonce, parce que ça n'allait pas », se justifia-t-elle une fois surmontée la gêne de l'aveu. Et bizarrement elle ajouta, à propos du vote en faveur de Le Pen au premier tour : « Les gens qui votaient pour lui ne voulaient pas de lui. Au deuxième tour, on votait normalement[2] »).

1. Sur la transformation des discours et des politiques économiques, voir Frédéric Lebaron, *Le Savant, la politique et la mondialisation*, Bellecombe-en-Bauge, Le Croquant, 2003.

2. Elle m'indiquait par cette étrange formule qu'elle avait voté pour Le Pen au premier tour de l'élection présidentielle de 2002, et pour Chirac contre Le Pen au deuxième tour. En 2007, elle vota aux deux tours pour Sarkozy.

À la différence du vote communiste, qui était un vote assumé, revendiqué, proclamé, le vote d'extrême droite aura été une démarche dissimulée, voire niée, vis-à-vis du jugement de l'« extérieur » (dont je faisais partie, aux yeux de ma famille)... mais, malgré tout, assez mûrement réfléchie et fermement décidée. Dans le premier cas on affirmait fièrement son identité de classe en la constituant comme telle par ce geste politique de soutien au « parti des ouvriers », dans le second on défendait en silence ce qu'il restait de cette identité désormais ignorée, quand elle n'était pas méprisée par les hiérarques de la gauche institutionnelle, tous issus de l'ENA et autres écoles bourgeoises du pouvoir technocratique, c'est-à-dire de ces lieux où se produit et s'enseigne une « idéologie dominante », devenue largement transpolitique (on n'insistera jamais assez sur le degré de participation des cénacles de la gauche « moderniste » – et souvent chrétienne – à l'élaboration de cette idéologie dominante de droite. Il n'est donc pas étonnant qu'un ancien leader du Parti socialiste – du nord de la France, bien sûr, et donc d'une autre origine sociale et d'une autre culture politique – ait eu à cœur de rappeler à ses amis, lors de la campagne présidentielle de 2002, que le mot « travailleur » n'était « pas un gros mot »). Aussi paradoxal que cela puisse paraître, je suis persuadé que le vote pour le Front national doit s'interpréter, au moins en partie, comme le dernier recours des milieux populaires pour défendre leur identité collective, et en tout cas une dignité qu'ils sentaient comme toujours piétinée, et désormais par ceux qui les avaient autrefois représentés et défendus. La dignité est un sentiment fragile et incertain de lui-même : il lui faut des signes et des assurances. Elle requiert d'abord qu'on n'ait pas l'impression d'être considéré comme quantité négligeable ou comme de simples éléments dans des tableaux statistiques ou des bilans comptables, c'est-à-dire des objets muets de la décision politique. Et, dès lors, si ceux à qui l'on accordait une certaine confiance ne la méritent plus, on la reporte sur d'autres. Et l'on se tourne, fût-ce au coup par coup, vers de nouveaux représentants [1].

À qui la faute, par conséquent, si le recours eut un tel visage ? Si la signification d'un « nous » ainsi maintenu ou reconstitué se transforma au point de désigner « les Français » opposés aux « étrangers », plutôt que les « ouvriers » opposés aux « bourgeois », ou, plus exactement, si l'opposition entre « ouvriers » et « bourgeois », perdurant sous la forme d'une opposition entre « gens d'en bas » et « gens d'en haut » (mais cela n'est pas la même chose et n'emporte pas les mêmes conséquences politiques), intégra une dimension nationale et raciale, les gens d'en haut étant perçus comme favorisant l'immigration et ceux d'en bas comme souffrant dans leur vie quotidienne de celle-ci, accusée d'être responsable de tous leurs maux ?

On pourrait avancer que le vote communiste représentait une affirmation positive de soi et le vote pour le Front national une affirmation négative de soi (le rapport aux structures partisanes, aux porte-parole, à la cohérence du discours politique et à sa coïncidence avec l'identité de classe, etc., étant très fort et même décisif dans le premier

1. Sur tout ce qui précède, je renvoie à mon livre *D'une révolution conservatrice et de ses effets sur la gauche française*, Paris, Léo Scheer, 2007.

cas, quasi inexistant ou très secondaire dans le second). Mais dans les deux cas, le résultat électoral se voulait, ou devenait de fait, la manifestation publique d'un groupe se mobilisant comme groupe par le biais du bulletin individuellement, mais aussi collectivement, placé dans l'urne pour faire entendre sa voix. Autour du Parti communiste s'organisait le vote collectif d'un groupe conscient de lui-même et ancré à la fois dans des conditions objectives d'existence et dans une tradition politique. À ce groupe venaient s'agréger d'autres catégories dont la perception du monde ou les revendications pouvaient rejoindre, durablement ou provisoirement, celles de la « classe ouvrière » se manifestant comme classe-sujet. En effaçant du discours politique de la gauche toute idée de groupes sociaux en conflit les uns avec les autres (et en allant jusqu'à remplacer l'affirmation structurante d'une conflictualité sociale, dans laquelle on se devait de soutenir les revendications des travailleurs, par une dénonciation des mouvements sociaux considérés comme une survivance du passé – on les taxa d'« archaïsme », et avec eux, bien sûr, ceux qui continuaient de les soutenir – ou le signe d'un délitement du lien social que les gouvernants auraient alors pour tâche de restaurer), on a cru réussir à priver ceux qui votaient ensemble de la possibilité même de se penser comme un groupe cimenté par des intérêts communs et des préoccupations partagées ; on les a ramenés à l'individualisation de leur opinion et on a dissocié cette opinion de la force qu'elle avait pu contenir autrefois, la vouant dès lors à l'impuissance. Mais cette impuissance devint rage. Le résultat était inéluctable : le groupe se reforma différemment, et la classe sociale déconstruite par les discours néoconservateurs de la gauche trouva un nouveau moyen de s'organiser et de faire connaître son point de vue.

La belle analyse proposée par Sartre du vote et des périodes électorales comme processus d'individualisation et, donc, de dépolitisation de l'opinion – la situation de « sérialité » –, par opposition à la formation collective et politisante de la pensée au cours d'un mouvement ou d'une mobilisation – le « groupe » –, trouve ici ses limites[1]. Certes, l'exemple qu'il donne est saisissant : les ouvriers qui avaient participé aux grandes grèves de Mai 68 et qui, un mois plus tard, sauvèrent le régime gaulliste en votant pour ses candidats. Mais cela ne doit pas nous faire oublier que l'acte électoral, fondamentalement individuel en apparence, peut se vivre aussi sur le mode d'une mobilisation collective, d'une action que l'on mène en commun avec d'autres. En ce sens, il contrevient au principe même du système du « suffrage universel » dans lequel l'agrégation des voix individuelles est censée déboucher sur l'expression de la « volonté générale » qui doit transcender les vouloirs particuliers. Dans ce que je viens d'évoquer (vote communiste ou vote Front national), c'est le contraire qui se produit : une guerre de classe menée par le moyen du bulletin de vote, une pratique d'affrontement qui se reproduit de scrutin en scrutin, et où l'on voit une classe sociale – ou une partie de celle-ci – s'efforcer de manifester sa présence face aux autres, d'instaurer un rapport de forces. Tout en soulignant, lui aussi, que

---

1. Jean-Paul Sartre, « Élections, piège à cons », in *Situations*, X, Paris, Gallimard, 1976, p. 75-87.

« le vote consulte les hommes au repos, hors du métier, hors de la vie », c'est-à-dire selon une logique abstraite et individualisante, Merleau-Ponty insiste sur le fait que « nous votons en violents » : « Chacun récuse le suffrage des autres[1]. » Loin de chercher à collaborer à la définition de tous par tous de ce que serait la « volonté générale » du peuple, loin de contribuer à l'élaboration d'un consensus ou à l'émergence d'une majorité aux souhaits de laquelle la minorité accepte de se plier, la classe ouvrière, ou une partie de celle-ci (comme toute classe d'ailleurs : on le voit aux réactions de la bourgeoisie chaque fois que la gauche arrive au pouvoir), vient, au contraire, contester la prétention d'une majorité électorale à représenter le point de vue « général » en rappelant qu'elle considère le point de vue de cette « majorité » comme étant celui d'un groupe adverse défendant ses propres intérêts, opposés aux siens. Dans le cas du vote pour le Front national, ce processus de construction politique de soi s'opéra au travers d'une alliance – au moins pendant les périodes électorales – avec des couches sociales qui, autrefois, auraient été considérées comme « ennemies ». Le principal effet de la disparition de la « classe ouvrière » et des ouvriers – disons, des classes populaires en général – du discours politique aura donc été le délitement des anciennes alliances du monde ouvrier avec certaines autres catégories sociales (salariés du secteur public, enseignants…), sous l'égide de ce qui constituait « la gauche », et la composition d'un nouveau « bloc historique », pour employer le vocabulaire de Gramsci,

---

1. Maurice Merleau-Ponty, « Sur l'abstention », in *Signes*, Paris, Gallimard, 1960, p. 397-401.

unissant de larges fractions des couches populaires fragilisées et précarisées aux professions commerçantes ou aux retraités aisés du sud de la France, voire aux militaires fascistes et aux vieilles familles catholiques traditionnalistes, et donc largement ancré à droite et même à l'ultradroite[1]. Mais ce fut sans doute, à un moment donné, la condition pour peser, et ce d'autant plus qu'il s'agissait de peser contre la gauche au pouvoir, ou, plus exactement, contre le pouvoir incarné par des partis de gauche. Oui : ce geste fut perçu comme l'unique moyen qui subsistait. Mais, évidemment, en entrant dans des alliances nouvelles, dans des configurations politiques nouvelles, ce groupe – qui ne se compose que d'une partie de l'ancien groupe mobilisé dans le vote communiste – devint autre que ce qu'il était autrefois. Ceux qui le constituaient se pensèrent eux-mêmes et pensèrent leurs intérêts et leurs rapports à la vie sociale et politique de manière tout à fait différente.

Le vote pour le Front national ne fut sans doute pas, pour une bonne partie de ses électeurs, identique à celui pour le Parti communiste auparavant : il fut plus intermittent, moins fidèle, et la remise de soi aux porte-parole, la délégation de sa parole à ceux qui vont la faire exister sur la scène politique, n'eurent pas la même solidité ni la même intensité. À travers leur vote pour le Parti communiste, les individus dépassaient ce qu'ils étaient séparément, sériellement,

---

1. Sur les processus sociaux, politiques et idéologiques qui aboutirent de manière analogue en Grande-Bretagne à la composition de blocs historiques unissant la bourgeoisie et de larges fractions des classes populaires dans un vote pour les partis de droite, voir Stuart Hall, *The Hard Road to Renewal. Thatcherism and the Crisis of the Left*, Londres, Verso, 1988.

et l'opinion collective qui en ressortait, par l'intermédiaire du Parti qui la façonnait autant qu'il l'exprimait, n'était en rien le reflet des opinions disparates de chacun des électeurs ; dans le vote pour le Front national, les individus restent ce qu'ils sont et l'opinion qu'ils produisent n'est que la somme de leurs préjugés spontanés, que le discours du parti vient capter et mettre en forme en les intégrant à un programme politique cohérent. Et même si ceux qui votent pour lui ne souscrivent pas à la totalité de ce programme, la force ainsi donnée à ce parti lui permet de laisser croire que ses électeurs adhèrent à tout son discours.

On pourrait être tenté de dire qu'il s'agit d'un collectif sériel, marqué en profondeur par la sérialité – puisque ce sont les pulsions immédiates, les opinions partagées mais reçues plutôt que les intérêts réfléchis en commun et les opinions élaborées dans l'action pratique qui y prédominent, la vision aliénée (dénoncer les étrangers) plutôt que la conception politisée (combattre la domination). Mais ce « collectif » se constitue malgré tout comme un « groupe » par le moyen du vote pour un parti qui instrumentalise alors, et avec leur consentement, le moyen d'expression choisi et utilisé par ceux qui l'ont instrumentalisé pour faire entendre leur voix[1].

On doit en tout cas constater à quel point le vote ne traduit le plus souvent – et cela vaut pour tous – qu'une

---

1. Sur le vote en faveur du Front national, voir l'article de Patrick Lehingue, « L'objectivation statistique des électorats : que savons-nous des électeurs du Front national ? », in Jacques Lagroye, *La Politisation*, Paris, Belin, 2003, p. 247-278.

adhésion partielle ou oblique au discours ou au programme du parti ou du candidat auxquels on apporte son suffrage. Quand je fis remarquer à ma mère qu'en votant pour Le Pen elle avait soutenu un parti qui militait contre le droit à l'avortement, alors que je savais qu'elle avait déjà avorté, elle me répondit : « Oh! Mais ça n'a rien à voir, c'est pas pour ça que j'ai voté pour lui. » Dans ce cas, comment choisit-on les éléments dont on tient compte et qui commandent la décision, et ceux qu'on laisse délibérément de côté? Sans doute l'essentiel tient-il au sentiment de se savoir ou de se croire représenté individuellement et collectivement, même si c'est de manière incomplète, imparfaite, c'est-à-dire soutenu par ceux que l'on soutient, et d'avoir l'impression, par le moyen de ce geste électoral, c'est-à-dire de cette action résolue, d'exister et de compter dans la vie politique.

Ces deux visions politiques antagonistes (celle qui s'incarnait dans le vote communiste et celle qui s'incarne dans le vote Front national), ces deux modalités de se constituer soi-même comme sujet de la politique, s'appuient sur des catégories différentes de perception et de division du monde social (qui peuvent d'ailleurs cohabiter chez un même individu, selon des temporalités différentes, bien sûr, mais aussi en des lieux différents, en fonction des différentes structures de la vie quotidienne dans lesquelles on se trouve inséré : selon que prédomine la solidarité pratique au sein de l'usine ou le sentiment de concurrence pour la préservation de son emploi, selon qu'on se sent appartenir à un réseau informel de parents d'élèves allant chercher les enfants à l'école ou qu'on est

141

exaspéré par les difficultés de la vie du quartier…). Ce sont des manières opposées ou en tout cas divergentes de découper la réalité sociale et d'essayer de peser sur les orientations politiques des gouvernants, et l'une n'est pas toujours exclusive de l'autre. C'est pourquoi, si durables et si déroutantes qu'aient pu être les alliances qui se sont opérées dans la constitution d'un électorat du Front national, il n'est pas du tout impossible, et encore moins impensable, qu'une partie – une partie seulement – de ceux qui votaient pour ses candidats se mettent, dans un avenir plus ou moins proche, à voter pour l'extrême gauche. Cela ne signifie évidemment pas que l'extrême gauche serait à placer sur le même plan que l'extrême droite, comme sont prompts à le proclamer ceux qui entendent protéger leur monopole sur la définition de la politique légitime en taxant systématiquement de « populisme » tout point de vue et toute affirmation de soi échappant à cette définition, quand une telle accusation ne renvoie à rien d'autre qu'à leur incompréhension – de classe – devant ce qu'ils considèrent comme l'« irrationalité » du peuple lorsqu'il ne consent pas à se soumettre à leur « raison » et à leur « sagesse ». Mais que la mobilisation d'un groupe – le monde ouvrier et les classes populaires – par le moyen du vote pourrait bien se déplacer radicalement sur l'échiquier politique et donc se cristalliser dans le cadre d'un autre « bloc historique » avec d'autres secteurs de la société, dès lors que la situation globale (nationale et internationale) aura changé. Mais sans doute un certain nombre d'événements importants – grèves, mobilisations, etc. – devront se produire pour qu'une telle réorganisation advienne : car on ne se dissocie pas aisément d'une appartenance politique dans laquelle on s'est mentalement installé depuis longtemps – fût-ce de façon instable et incertaine – et l'on ne se crée pas du jour au lendemain une autre appartenance, c'est-à-dire un autre rapport à soi et aux autres, un autre regard sur le monde, un autre discours sur les choses de la vie.

2

Je n'ignore pas, cependant, que le discours et le succès du Front national furent, à bien des égards, favorisés et même appelés par les sentiments qui animaient les classes populaires dans les années 1960 et 1970. Si l'on avait voulu déduire un programme politique des propos qui se tenaient au jour le jour dans ma famille à cette époque, alors même que l'on y votait à gauche, le résultat n'eût pas été très éloigné des futures plates-formes électorales de ce parti d'extrême droite dans les années 1980 et 1990 : volonté d'expulser les immigrés et instauration de la « préférence nationale » dans l'emploi et les prestations sociales, durcissement répressif de la politique pénale, attachement au principe de la peine de mort et application très étendue de ce principe, possibilité de sortir du système scolaire à 14 ans, etc. La captation par l'extrême droite de l'ancien électorat communiste (ou d'électeurs plus jeunes qui votèrent d'emblée pour le Front national, puisqu'il semble que les enfants d'ouvriers aient alors voté pour l'extrême droite plus facilement et plus systématiquement que leurs aînés[1])

---

1. Sur ces changements d'une génération à l'autre dans le rapport des classes populaires à la gauche et à la droite, voir Patrick Lehingue, art. cité.

fut rendue possible ou facilitée par le racisme profond qui constituait l'une des caractéristiques dominantes des milieux ouvriers et populaires blancs. Des phrases qui allaient fleurir dans les années 1980 contre les familles maghrébines, telles que « On est envahis, on n'est plus chez nous », « Y en a que pour eux, ils vivent avec les allocations familiales et il n'y a plus rien pour nous », et ainsi de suite *ad nauseam*, avaient été précédées, pendant au moins trois décennies, par des façons radicalement hostiles de percevoir les travailleurs venus du Maghreb, de parler d'eux et de se comporter avec eux[1]. Cette hostilité se manifestait déjà pendant la guerre d'Algérie (« Puisqu'ils veulent leur indépendance, ils n'ont qu'à rester chez eux ») et après l'indépendance conquise par ce pays (« Ils ont voulu leur indépendance, ils l'ont ! Alors maintenant, qu'ils retournent chez eux »), mais elle redoubla tout au long des années 1960 et 1970. Le mépris des Français à leur égard s'exprimait notamment dans le tutoiement systématique qui leur était réservé. Quand il était question d'eux, on ne les appelait jamais autrement que les « bicots », les « ratons » ou autres termes analogues. À l'époque, les « immigrés » étaient principalement des hommes seuls qui logeaient dans des foyers collectifs et des hôtels insalubres, où des marchands de sommeil gagnaient de l'argent en leur imposant des conditions de vie dégradantes. L'arrivée massive d'une nouvelle génération d'immigrés, mais aussi la constitution de familles et la naissance d'enfants changèrent la

---

1. On trouvera une description très réaliste de ce racisme de la classe ouvrière française et des conditions de vie des travailleurs immigrés pendant les années 1950 dans le roman de Claire Etcherelli, *Élise ou la vraie vie* [1967], Paris, Gallimard, « Folio », 1977.

donne : toute une population d'origine étrangère s'installa dans les cités HLM construites peu de temps auparavant et qui n'avaient quasiment été habitées jusque-là que par des Français ou des immigrés venus de pays européens. Quand mes parents obtinrent, au milieu des années 1960, un appartement dans une cité HLM située aux confins de la ville, où j'allais vivre de 13 à 20 ans, l'immeuble n'était occupé que par des Blancs. C'est vers la fin des années 1970 – j'étais parti depuis longtemps déjà – que s'installèrent les familles maghrébines, qui devinrent rapidement majoritaires dans tout le quartier. Ces transformations provoquèrent une exacerbation spectaculaire des pulsions racistes qui s'exprimaient depuis toujours dans les conversations de la vie quotidienne. Mais, comme s'il s'agissait de deux niveaux de conscience qui ne se recoupaient que très rarement, cela n'interférait pas avec les choix politiques réfléchis, que ce soit le vote pour un parti – « le Parti » – qui avait milité contre la guerre en Algérie, l'adhésion à un syndicat – la CGT – qui, officiellement, dénonçait le racisme, ou encore, plus généralement, la perception de soi comme ouvrier de gauche[1].

En fait, quand on votait à gauche, on votait d'une certaine manière contre ce type de pulsions immédiates, et donc contre une partie de soi-même. Ces sentiments racistes étaient certes puissants et, d'ailleurs, le Parti communiste ne se priva pas de les flatter, de manière

---

1. Dans *Élise ou la vraie vie*, c'est la classe ouvrière syndiquée et proche du Parti communiste que l'on voit exprimer son racisme à l'intérieur de l'usine. Et certains justifient même leur hostilité à l'encontre des Algériens et des Tunisiens par le fait que ceux-ci n'ont pas participé à la grève pour une augmentation de salaire.

odieuse, en de nombreuses occasions. Mais ils ne se sédimentaient pas comme le foyer central de la préoccupation politique. Et même, on se sentait parfois obligé de s'en excuser lorsqu'on se trouvait dans un cercle plus large que celui de la famille restreinte. Les phrases n'étaient pas rares, alors, qui commençaient par « Je n'ai jamais été raciste… » ou qui finissaient par « Cela dit, je ne suis pas raciste » ; ou bien quelqu'un ponctuait la conversation par des remarques telles que « Chez eux, c'est comme partout, il y a aussi des gens bien… », et l'on mentionnait l'exemple de tel ou tel « gars » à l'usine qui avait, etc. Il fallut du temps pour que les expressions quotidiennes du racisme ordinaire en viennent à s'agréger à des éléments plus directement idéologiques et à se transformer en mode hégémonique de perception du monde social, sous l'effet d'un discours organisé qui s'attachait à les encourager et à leur donner un sens sur la scène publique.

C'est parce qu'ils ne supportaient plus le nouvel environnement prédominant dans leur quartier que mes parents décidèrent de quitter leur appartement pour aller s'installer dans un lotissement à Muizon, et fuir ainsi ce qu'ils percevaient comme une intrusion grosse de menaces dans un monde qui leur avait appartenu et dont ils se sentaient peu à peu dépossédés. Ma mère se plaignit d'abord des « ribambelles » d'enfants de ces nouveaux arrivants, qui urinaient et déféquaient dans les escaliers et qui, devenus adolescents, firent basculer la cité dans le règne de la petite délinquance, dans un climat d'insécurité et de peur. Elle s'indignait des dégradations dans l'immeuble, qui touchaient aussi bien les murs de la cage d'escalier que les portes des caves individuelles au sous-sol ou les boîtes à lettres dans l'entrée – à peine réparées, aussitôt détruites à nouveau –, avec le courrier et les journaux qui disparaissaient trop fréquemment. Sans parler des dégâts commis dans la rue sur les voitures : rétroviseurs brisés, peinture rayée... Elle ne supportait plus le bruit incessant et les odeurs émanant d'une cuisine différente, ni les cris du mouton qu'on égorgeait dans la salle de bains de l'appartement au-dessus de chez eux pour la fête de l'Aïd el-Kébir. Ses descriptions relevaient-elles de la réalité ou du fantasme ? Les deux à la fois, sans doute. Comme je n'habitais plus avec eux et ne venais jamais les voir, je suis mal placé pour en juger. Quand je lui disais, au téléphone – elle avait du mal à parler d'autre chose –, qu'elle exagérait, elle me répondait : « On voit bien que ce n'est pas chez toi. Tu ne connais pas ça dans les quartiers où tu vis. » Que pouvais-je répondre ? Je me demande néanmoins comment se formèrent les discours qui transfigurèrent des problèmes de voisinage – que je veux bien croire pénibles – en conception du monde et en système de pensée politique. Dans quelle histoire s'ancraient-ils ? De quelles profondeurs sociales venaient-ils ? À partir de quelles modalités nouvelles de la constitution des subjectivités politiques se coagulèrent-ils et se concrétisèrent-ils sous la forme d'un vote pour un parti d'extrême droite et pour un type de leader qui n'inspiraient auparavant que des réactions de colère violente ? Dès lors qu'elles furent ainsi ratifiées et répercutées dans l'espace politico-médiatique, ces catégories spontanées de perception et les découpages qu'elles mettaient en œuvre (les « Français » opposés aux « étrangers ») s'imposèrent avec une « évidence » de plus en plus grande et occupèrent chaque jour un peu plus les discussions banales au sein de la famille restreinte et de la famille élargie ou les échanges de propos chez les commerçants, dans la rue, à l'usine… On assista alors à une cristallisation du sentiment raciste dans des milieux sociaux et politiques autrefois dominés par le Parti communiste, et à une tendance marquée à se tourner vers une offre politique qui prétendait simplement faire écho à la voix du peuple et au sentiment national alors qu'elle les avait produits tels qu'ils étaient en offrant un cadre discursif cohérent et une légitimité sociale aux pulsions mauvaises et aux affects ressentimentaux qui préexistaient. Le « sens commun » partagé par les classes populaires « françaises » se transforma profondément, puisque, précisément, la qualité de « Français » devint son élément principal, remplaçant celle d'« ouvrier » ou d'homme et de femme « de gauche ».

Ma famille incarna un exemple modal de ce racisme ordinaire des milieux populaires dans les années 1960 et de ce raidissement raciste au cours des années 1970 et 1980. On y employait sans cesse (et ma mère continue d'employer) un vocabulaire péjoratif et insultant à l'égard des travailleurs arrivés seuls d'Afrique du Nord, puis de leurs familles venues les rejoindre ou formées sur place, et de leurs enfants nés en France, et donc français, mais perçus comme étant eux aussi des « immigrés », ou en tout cas des « étrangers ». Ces mots d'injure pouvaient surgir à tout instant et ils étaient, en chacune de leurs occurrences, accentués de telle sorte que l'hostilité acrimonieuse qu'ils exprimaient en soit décuplée : les « crouillats », les

« crouilles », les « bougnoules »… Comme j'étais très brun, quand j'étais adolescent, ma mère me disait régulièrement : « Tu ressembles à un crouille » ; ou bien : « En te voyant arriver de loin, je te prenais pour un bougnoule. » Et j'ai bien conscience que l'horreur que m'inspira à cette époque mon milieu d'appartenance est également liée à la consternation, et même à l'écœurement, que provoquait en moi ce genre de propos entendus tous les jours, plusieurs fois par jour. Tout récemment, j'ai invité ma mère à passer un week-end à Paris. Sa conversation charriait en permanence ce vocabulaire auquel je suis assez rarement confronté, ayant précisément construit ma vie de façon à n'y être pas confronté : les « bougnoules », les « négros », les « chinetoques »… Alors que nous parlions du quartier de Barbès où avait vécu sa mère – quartier presque exclusivement occupé, et depuis longtemps, par une population d'origine africaine et maghrébine –, elle affirma qu'elle n'aimerait pas y habiter, me donnant comme raison : « Chez eux, c'est pas comme chez nous. » J'essayai brièvement d'argumenter, en réprimant mon agacement : « Mais maman, Barbès, c'est chez nous, c'est un quartier de Paris. » Elle répondit simplement : « Peut-être, mais je me comprends… » Je ne pus alors que balbutier : « Moi pas », en concluant par-devers moi que le « retour à Reims » à propos duquel j'avais déjà commencé d'écrire ne serait pas un parcours aisé et que c'était peut-être même un voyage mental et social impossible à accomplir. À la réflexion, cependant, j'en arrive à me demander si le racisme de ma mère, et le mépris virulent qu'elle (fille d'un immigré!) afficha toujours à l'égard des travailleurs immigrés en général, et des « Arabes » en particulier, ne

151

fut pas un moyen pour elle, qui avait appartenu à une catégorie sociale constamment rappelée à son infériorité, de se sentir supérieure à des gens plus démunis encore. Une manière de se construire une image valorisante d'elle-même, par le biais de la dévalorisation des autres, c'est-à-dire une manière d'exister à ses propres yeux.

Pendant les années 1960 et 1970, le discours de mes parents, et surtout celui de ma mère, mêlait déjà deux formes de partage entre « eux » et « nous » : le partage de classe (les riches et les pauvres) et le partage ethnique (les « Français » et les « étrangers »). Pourtant, certaines circonstances politiques et sociales pouvaient déplacer l'accent sur l'un ou sur l'autre. En Mai 68, les grandes grèves unissaient les « travailleurs », quelle que soit leur origine, contre les « patrons ». Un beau slogan prospé-rait, qui clamait : « Travailleurs français, immigrés, même patron, même combat ». Lors de grèves plus limitées ou plus locales, par la suite, cette même perception prévalait toujours (la frontière passe, en de telles situations, entre les grévistes et « ceux qui sont du côté du patron », les « jaunes »). Sartre a raison d'insister sur ce point : avant la grève, l'ouvrier français est spontanément raciste, se méfie des immigrés, mais une fois l'action déclenchée, ces mau-vais sentiments s'effacent et c'est la solidarité qui prédo-mine (fût-ce partiellement et temporairement). C'est donc très largement l'absence de mobilisation ou de perception de soi comme appartenant à un groupe social mobilisé ou solidaire parce que potentiellement mobilisable et donc toujours mentalement mobilisé qui permet à la division raciste de supplanter la division en classes. Dès lors, le groupe, dont la mobilisation comme horizon de perception de soi a été dissoute par la gauche, se reconstitue autour de cet autre principe, national cette fois : l'affirmation de soi comme occupant « légitime » d'un territoire dont on se sent dépossédé et chassé – le quartier où l'on habite et qui remplace le lieu de travail et la condition sociale dans la définition de soi-même et de son rapport aux autres. Et, plus généralement, l'affirmation de soi comme maître et possesseur naturel d'un pays dont on revendique le bénéfice exclusif des droits qu'il accorde à ses citoyens. L'idée que d'« autres » puissent profiter de ces droits – le peu que l'on a – devient insupportable, dans la mesure où il apparaît qu'il faut les partager et donc voir diminuer la part qui revient à chacun. C'est une affirmation de soi qui s'opère contre ceux à qui l'on dénie toute appartenance légitime à la « Nation » et à qui l'on aimerait refuser les droits qu'on tente de maintenir pour soi-même au moment où ils sont remis en cause par le Pouvoir et par ceux qui parlent en son nom.

Il conviendrait néanmoins de pousser l'analyse jusqu'au point de se demander si, lorsqu'on essaie d'expliquer pourquoi à tel ou tel moment les classes populaires votent à droite, on ne présuppose pas – sans jamais s'interroger sur ce présupposé – qu'il serait naturel qu'elles votent à gauche, en dépit du fait que ce n'est pas toujours le cas, et que ça n'est jamais complètement le cas. Après tout, même quand le Parti communiste prospérait électoralement comme « parti de la classe ouvrière », seuls 30 % des ouvriers lui apportaient leurs suffrages, et ils étaient au moins aussi nombreux, si ce n'est plus, à voter pour les candidats de la droite que pour ceux de la gauche dans son ensemble. Et cela ne concerne pas seulement le vote. Même les mobilisations ouvrières ou populaires, les actions menées en commun purent, au cours de l'histoire, être ancrées à droite ou, en tout cas, tourner le dos aux valeurs de la gauche : le mouvement des « Jaunes », par exemple, au début du XXᵉ siècle, ou les émeutes racistes dans le sud de la France à la même époque ; ou encore les grèves contre l'embauche d'ouvriers étrangers[1]... Nombreux furent les théoriciens de gauche, et depuis fort longtemps, qui cherchèrent à décrypter ces phénomènes : qu'on songe à Gramsci qui se demande, dans ses *Cahiers de prison*, pourquoi, alors que les conditions semblaient réunies en Italie, au sortir de la Première Guerre mondiale, pour que se déclenche une révolution socialiste et prolétarienne, celle-ci avorta ou, plus exactement, se produisit mais sous la forme d'une révolution fasciste ; ou encore Wilhelm Reich qui cherche à analyser, dans *La Psychologie de masse du fascisme*, en 1933, les processus psychiques qui amenèrent les classes populaires à désirer le fascisme. Par conséquent, le lien qui paraît évident entre la « classe ouvrière » et la gauche pourrait bien ne pas être aussi naturel qu'on aimerait le croire, et relever plutôt d'une représentation construite historiquement par des théories (le marxisme, par exemple) qui l'ont emporté

---

1. Sur le racisme et l'antisémitisme des milieux populaires français (notamment de gauche) ainsi que sur les mouvements ouvriers de droite, voir Zeev Sternhell, *La Droite révolutionnaire, 1885-1914*, Paris, Fayard, 2000, notamment le chapitre 4, « L'antisémitisme de gauche », et le chapitre 6, « Une droite prolétarienne : les Jaunes ». Voir également, du même auteur, *Ni droite ni gauche. L'idéologie fasciste en France*, Paris, Fayard, 2000.

sur d'autres théories concurrentes et qui ont façonné et notre perception du monde social, et nos catégories politiques[1].

Mes parents, comme les autres membres de ma famille de leur génération, se disaient de gauche (« Nous, c'est la gauche… », entendis-je souvent dans le cercle familial, comme s'il eût été impensable qu'il en aille autrement), avant de voter à l'extrême droite et à droite (de manière discontinue). Mes frères, comme un certain nombre de membres de ma famille de leur génération, revendiquent leur appartenance à la droite – après avoir longtemps voté à l'extrême droite –, ne comprenant même pas qu'on puisse s'en étonner : dès qu'ils eurent l'âge de voter, leurs suffrages s'opposèrent à la gauche. Des régions ouvrières, autrefois bastions de la gauche et notamment du Parti communiste, ont assuré, et continuent d'assurer, une présence électorale significative à l'extrême droite. Et je crains fort que les intellectuels qui, manifestant ainsi leur ethnocentrisme de classe et projetant leurs propres modes de pensée dans la tête de ceux à la place desquels ils parlent en prétendant être attentifs à leurs paroles, se gargarisent des « savoirs spontanés » des classes populaires – et ce avec d'autant plus d'enthousiasme qu'ils n'ont jamais rencontré dans leur vie quelqu'un qui y appartienne, si ce n'est en lisant des textes du XIXᵉ siècle – ne courent le risque de se heurter à de cinglants démentis et à de cruelles

---

1. Sur les théories qui s'opposent à la gauche et au marxisme et proposèrent d'autres cadres pour penser la condition ouvrière et la place et le rôle des ouvriers dans la société, voir Zeev Sternhell, *La Droite révolutionnaire, op. cit.*, notamment le chapitre 9, « À la recherche d'une assise populaire : l'Action française et le prolétariat ».

déconvenues. C'est précisément de ces mythologies et de ces mystifications, que certains s'acharnent à perpétuer (pour se faire applaudir comme les tenants d'une nouvelle radicalité), autant que des dérives néoconservatrices évoquées antérieurement, que la gauche doit se défaire si elle veut comprendre les phénomènes qui la conduisent à sa ruine et espérer un jour les contrecarrer. Il n'y a pas de « savoir spontané » des dominés, ou, plus exactement, le « savoir spontané » n'a pas de signification fixe et liée à telle ou telle forme de politique : la position des individus dans le monde social et dans l'organisation du travail ne suffit pas à déterminer l'« intérêt de classe » ou la perception de cet intérêt sans la médiation des théories à travers lesquelles des mouvements et des partis proposent de voir le monde. Ce sont ces théories qui donnent forme et sens aux expériences vécues à un moment ou à un autre, et les mêmes expériences peuvent revêtir des significations opposées selon les théories ou les discours vers lesquels elles vont se tourner et auxquels elles vont s'adosser[1].

C'est pourquoi une philosophie de la « démocratie » qui se contente (même si ses auteurs s'émerveillent eux-mêmes d'avancer une pensée aussi « scandaleuse ») de célébrer l'« égalité » première de tous avec tous et de ressasser que chaque individu serait doté de la même « compétence » que tous les autres n'est en rien une pensée de l'émancipation, dans la mesure où elle ne s'interroge jamais sur les

---

1. Pour une critique de l'« expérience » comme « évidence » immédiate et pour une analyse du rôle des discours et théories politiques dans le découpage des perceptions, des pratiques et des significations que celles-ci revêtent, voir Joan W. Scott, « L'évidence de l'expérience », in *Théorie critique de l'histoire. Identités, expériences, politiques*, Paris, Fayard, 2009, p. 65-126.

modalités de la formation des opinions ni sur la manière dont ce qui résulte de cette « compétence » peut s'inverser du tout au tout – pour le meilleur ou pour le pire – chez une même personne ou dans un même groupe social, selon les lieux et les conjonctures, et selon les configurations discursives à l'intérieur desquelles, par exemple, les mêmes préjugés peuvent soit devenir la priorité absolue, soit être tenus à l'écart du registre politique[1]. Je n'aimerais pas que ma mère ou mes frères – qui n'en demandent d'ailleurs pas tant – soient « tirés au sort » pour gouverner la Cité au nom de leur « compétence » égale à celle de tous les autres : leurs choix n'y seraient pas différents de ceux qu'ils expriment quand ils votent, à ceci près qu'ils pourraient bien être majoritaires. Et tant pis si mes réticences doivent froisser les adeptes d'un retour aux sources athéniennes de la démocratie. Car si le geste de ces derniers peut sembler sympathique, ce qui risquerait d'en découler m'inquiète au plus haut point[2].

---

1. Je renvoie sur ce point aux importantes remarques de Stuart Hall dans *The Hard Road to Renewal, op. cit.*

2. Pour un éloge de la « compétence » commune et du « tirage au sort » comme principe régulateur d'un « pouvoir du peuple », voir Jacques Rancière, *La Haine de la démocratie*, Paris, La Fabrique, 2005. Rancière semble avoir lui-même vaguement conscience du problème sans jamais le formuler (et pour cause ! Cela remettrait en question nombre de ses présupposés idéologiques), puisque tous les exemples d'expressions démocratiques qu'il mentionne nous renvoient à ce qu'il désigne du mot « luttes », ou « mouvements », c'est-à-dire à des manifestations collectives et organisées de l'opinion dissidente. Cela indique que le « pouvoir du peuple » comme fondement de la démocratie n'est jamais celui des individus indifférenciés et interchangeables : il est toujours déjà inscrit dans des cadres sociaux et politiques hétérogènes et conflictuels entre eux. Ce sont ces cadres qu'une réflexion sur la démocratie doit placer au cœur de ses interrogations et de ses préoccupations.

Et comment, d'autre part, prendre en considération l'existence pratique des « classes sociales » et de la conflictualité sociale, et même de la « guerre » objective dont j'ai parlé dans un chapitre précédent, sans verser dans l'invocation magico-mythique de la « Lutte des classes » qu'exaltent aujourd'hui ceux qui prônent un « retour au marxisme », comme si les positions politiques découlaient de manière univoque et nécessaire des positions sociales et conduisaient inéluctablement à un affrontement conscient et organisé d'une « classe ouvrière », sortie de son « aliénation » et animée par un désir de socialisme, et de la « classe bourgeoise », avec tous les aveuglements que de telles notions réifiées et de telles représentations fantasmatiques impliquent – et donc des dangers qu'elles représentent ?

Il nous faut au contraire essayer de comprendre pourquoi et comment les classes populaires peuvent penser leurs conditions de vie tantôt comme les ancrant nécessairement à gauche, tantôt comme les inscrivant évidemment à droite. Plusieurs facteurs doivent être pris en compte : la situation économique, globale ou locale, bien sûr, les transformations du travail et des types de liens entre les individus que de telles transformations font et défont, mais aussi, et je serai tenté de dire surtout, la manière dont les discours politiques, les catégories discursives, viennent façonner la subjectivation politique. Les partis jouent ici un rôle important, si ce n'est fondamental, puisque, on l'a vu, c'est par leur intermédiaire que peuvent parler ceux qui ne parleraient pas si des porte-parole ne parlaient pas pour eux, c'est-à-dire en leur faveur mais aussi à leur place[1].

1. Cet élément crucial qu'est la médiation des partis est absent dans le

Un rôle fondamental aussi parce que ce sont les discours organisés qui produisent les catégories de perception, les manières de se penser comme sujet politique et qui définissent la conception que l'on se fait de ses propres « intérêts » et des choix électoraux qui en découlent[1]. Il convient donc de réfléchir en permanence sur cette antinomie entre le caractère inéluctable, pour les classes populaires, de la délégation de soi – en dehors de rares moments de lutte – et le refus de se laisser déposséder par des porte-parole dans lesquels on finit par ne plus se reconnaître, au point de s'en chercher et de s'en donner d'autres. C'est pourquoi, d'ailleurs, il est d'une importance capitale de se défier toujours des partis et de leur tendance naturelle à vouloir assurer leur hégémonie sur la vie politique, et de la tendance naturelle de leurs dirigeants à vouloir assurer leur hégémonie sur ce qui délimite le champ de la politique légitime[2].

Nous voici ramenés à la question de savoir qui a droit à la parole, qui prend part, et de quelle manière, aux processus

---

modèle de Sartre (qui était sous l'emprise, à l'époque de son texte sur le vote, du spontanéisme gauchiste). Il est au contraire souligné par Bourdieu dans son article « Le mystère du ministère. Des volontés particulières à la "volonté générale" », *Actes de la recherche en sciences sociales*, n° 140, 2001, p. 7-13.

1. Je rejoins sur ce point les analyses de Stuart Hall dans « Gramsci and Us », in *The Hard Road to Renewal, op. cit.*, p. 163-173.

2. Avec le soutien, bien sûr, d'intellectuels de parti et de gouvernement qui entendent délimiter ce qui est politique et ce qui ne l'est pas, ce qui est « démocratique » et ce qui est « contre-démocratique », etc., autant de tentatives qui représentent le contraire de ce que devraient être et le travail intellectuel – penser le monde social dans sa mobilité au lieu de chercher à le prescrire –, et l'activité démocratique, qui ne se laisse pas enfermer dans les diktats de ces idéologues autoritaires liés à toutes les technocraties et à toutes les bureaucraties, c'est-à-dire à toutes les institutions et à tous les pouvoirs. À titre d'antidote salvateur à ces pulsions antidémocratiques, on lira le livre de Sandra Laugier, *Une autre pensée politique américaine. La démocratie radicale d'Emerson à Stanley Cavell*, Paris, Michel Houdiard, 2004.

de décision, c'est-à-dire non seulement à l'élaboration des solutions, mais aussi à la définition collective des questions qu'il est légitime et important d'aborder. Quand la gauche se révèle incapable de s'organiser comme l'espace et le creuset où se forment les questionnements mais aussi où s'investissent les désirs et les énergies, c'est la droite ou l'extrême droite qui réussissent à les accueillir et à les attirer.

C'est donc la tâche qui incombe aux mouvements sociaux et aux intellectuels critiques : construire des cadres théoriques et des modes de perception politiques de la réalité qui permettent non pas d'effacer – tâche impossible – mais de neutraliser au maximum les passions négatives à l'œuvre dans le corps social et notamment dans les classes populaires ; d'offrir d'autres perspectives et d'esquisser ainsi un avenir pour ce qui pourrait s'appeler, à nouveau, la gauche.

IV

1

Comme elles furent difficiles, mes premières années de lycée! J'étais un excellent élève, mais toujours au bord d'un refus total de la situation scolaire. Si l'établissement avait accueilli majoritairement des enfants issus du même milieu que moi et non pas, comme c'était le cas, de la bourgeoisie et de la petite-bourgeoisie, je crois que je me serais laissé happer par l'engrenage de l'autoélimination. Je participais à tous les chahuts, j'étais insolent, je répliquais aux remontrances des professeurs et me moquais d'eux. Ma manière d'être et de parler, mes comportements et les expressions que j'utilisais m'apparentaient à un énergumène plus proche du mauvais sujet que de l'élève modèle. Je ne me rappelle plus quelle saillie adressée à un de mes camarades de classe, fils de magistrat, me valut cette réponse outragée : « Modère tes expressions! » Il avait été stupéfait par la crudité verbale des gens du peuple, à laquelle il n'était pas habitué, mais sa réaction et le ton qu'il avait adopté, qui puisaient à l'évidence dans le répertoire linguistique de sa famille bourgeoise, me parurent grotesques, et je redoublai d'ironie et de grossièreté. Une implacable logique sociale me transformait en ce personnage que, naïvement, je m'enorgueillissais d'être, et tout me conduisait à élire ce qui n'était qu'un rôle dévolu par avance et relié à un sort programmé depuis toujours : la sortie prématurée du système scolaire. En classe de sixième, un enseignant me déclara : « Vous n'irez pas plus loin que la seconde. » Ce jugement m'effraya jusqu'à ce que j'atteigne et dépasse cette classe. Mais, au fond, cet imbécile avait fait preuve d'une certaine lucidité : j'étais promis à ne pas aller plus loin, et sans doute à ne pas aller jusque-là.

J'ai retrouvé, dans le petit livre que Pierre Bourdieu termina et envoya à son éditeur allemand un mois avant sa mort, *Esquisse pour une auto-analyse*, une image grossie de ce que j'avais vécu. Il s'y décrit comme un préadolescent et un adolescent en état de « révolte proche d'une sorte de délinquance » et évoque les « démêlés disciplinaires » que lui valait sans cesse cette attitude de « fureur butée », qui faillit provoquer son exclusion du lycée juste avant le bac. En même temps, il était un élève d'exception, attaché à ses études, aimant à passer des heures à lire dans le calme, oubliant alors les chahuts auxquels il manquait rarement de participer et le tapage dont il était souvent l'instigateur[1].

Hélas, Bourdieu ne pousse pas assez loin, ici, l'auto-analyse. Il avertit au début du livre qu'il n'y proposera que les « traits pertinents du point de vue de la sociologie » et « ceux-là seulement », nécessaires pour le comprendre et comprendre son œuvre. Mais on se demande comment il peut décider à la place des lecteurs quels sont les éléments dont ils auraient besoin pour appréhender les dispositions

---

1. Pierre Bourdieu, *Esquisse pour une auto-analyse*, Paris, Raisons d'agir éditions, 2004, p. 123, 121 et 120.

et les principes qui présidèrent à la naissance de son projet intellectuel et au développement de sa pensée. Et surtout, on a du mal à se déprendre de l'impression que les éléments qu'il met en avant quand il s'agit de sa jeunesse, et sa manière de les mettre en avant, nous renvoient au registre de la psychologie plutôt qu'à celui de la sociologie, comme s'il s'était agi pour lui de décrire les traits de son – mauvais – caractère personnel et non la logique des forces sociales s'exerçant sur lui comme individu. Il écrit donc avec trop de réserve, trop de pudeur – et sans doute sa remarque préliminaire avait-elle pour principale fonction de justifier cette prudence parcimonieuse. Il n'ose pas se dévoiler plus avant et les informations qu'il fournit sont fragmentaires et, assurément, négligent bien des aspects essentiels. Il tait plus de choses qu'il n'en confesse.

Par exemple, il n'explique pas comment il parvint à gérer cette tension ou cette contradiction entre l'inaptitude sociale à se conformer aux exigences de la situation scolaire et l'envie d'apprendre et de réussir, ni comment celle-ci finit par l'emporter sur celle-là (dont, plus tard, sa façon de vivre la vie intellectuelle gardera pourtant des traces évidentes, notamment dans son non-respect affiché des règles de la bienséance bourgeoise qui règne dans la vie universitaire et tend à imposer à tous – sous peine d'exclusion de la « communauté savante » – de se soumettre aux normes instituées de la « discussion scientifique » quand ce qui est en jeu relève en réalité de la bataille politique), ni comment il surmonta ces difficultés et parvint à se maintenir dans un univers que tout en lui rejetait en même temps qu'il aspirait à n'en surtout pas sortir (ne se dépeint-il pas comme « bien adapté, paradoxalement, à ce monde pourtant profondément détesté[1] » ?). C'est cette ambivalence qui lui permit de devenir ce qu'il devint et qui anima tout son projet intellectuel et toute sa démarche ultérieure : la révolte – la « fureur butée » – continuée dans et par le moyen du savoir. Ce que Foucault appellera, de son côté, l'« indocilité réfléchie ».

Il ne mentionne aucun des livres qu'il lisait, ne donne aucun renseignement sur ceux qui comptèrent pour lui ou lui donnèrent le goût de la culture, de la pensée, quand il aurait pu sombrer dans un rejet complet de celles-ci, comme semblaient l'y destiner les valeurs populaires sportives et masculinistes auxquelles il ne cache pas qu'il adhérait pleinement, bien qu'il ait refusé l'anti-intellectualisme de ceux avec qui il les partageait[2]. Il souligne d'ailleurs qu'il voyait disparaître du paysage scolaire, les uns après les autres, année après année, ceux qui venaient du même milieu social que lui et qui adhéraient à ces mêmes valeurs[3]. Comment et pourquoi survécut-il ? Suffit-il, puisque nous savons ce qu'il est devenu, de raconter en quelques pages renvoyées en fin de volume les frasques bagarreuses du jeune homme qu'il avait été en les opposant à son goût tout aussi réel pour les études, la lecture et le savoir ? Le portrait est incomplet, s'il veut être éclairant. Quid de la transformation qui s'opéra en lui au fil des ans, pour que l'enfant d'un village du Béarn, déconcerté par « certains faits de culture » qu'il découvrait à l'école, se métamorphose en un élève admis dans une classe préparatoire parisienne très élitiste, puis à l'École normale supérieure de la

---

1. *Ibid.*, p. 120.
2. *Ibid.*, p. 126-127.
3. *Ibid.*, p. 126.

rue d'Ulm ? Comment et pourquoi cette transmutation se produisit-elle ? Et quid du bilinguisme (le béarnais parlé avec son père et le français de l'école), de l'accent qu'il eut à cœur de corriger une fois arrivé à Paris (dans la honte mêlée de l'origine sociale et de l'origine géographique), et qui resurgissait de temps à autre au détour d'une conversation ? Quid de la sexualité ? L'hétérosexualité va-t-elle de soi au point qu'il serait inutile de la nommer, de la montrer, si ce n'est, en contrepoint, dans l'évocation fugace d'un élève de sa classe qui jouait du violon et qui, « reconnu comme homosexuel », devait subir une véritable persécution de la part des autres, qui manifestaient ainsi qu'ils ne l'étaient pas, selon une très classique opposition entre les esthètes et les athlètes (ces derniers se trouvant être les mêmes, dans le récit de Bourdieu, que ceux avec qui il jouait au rugby et qu'il voyait peu à peu éliminés du cursus scolaire[1]) ?

Et je ne puis m'empêcher de penser que Bourdieu était resté, dans une large mesure, pensé et parlé par ces mêmes modes de perception, ou, mieux, par ces mêmes dispositions, aussi anciennement inscrites dans tout ce qu'il était, lorsque, plus haut dans ce même livre, il n'est pas loin de désigner péjorativement Foucault comme un « esthète », une étiquette qui, selon les polarités structurantes qu'il installe lui-même dans son chapitre

---

1. Sur le lien entre les valeurs masculinistes des garçons appartenant aux milieux ouvriers ou populaires – notamment le rejet de l'autorité et l'hostilité à l'encontre des bons élèves jugés « conformistes » – et l'élimination scolaire, et donc l'assignation à des métiers ouvriers, voir Paul Willis, *Learning to Labour. How Working Class Kids Get Working Class Jobs*, Westmead (G.-B.), Saxon House, 1977.

final, nous renverrait à l'opposition entre « sportifs » et « homosexuels », entre l'équipe de rugby et l'amateur de musique, et donc à un certain inconscient social et sexuel dont je m'étonnai auprès de lui, quand il me fit lire le manuscrit de ce texte, qu'il n'ait pas perçu le caractère homophobe[1]. Là encore, l'auto-analyse aurait mérité d'être poussée plus avant. Il souligne dans ce livre, lorsqu'il s'efforce d'expliciter comment « il se situait objectivement et subjectivement » par rapport à Foucault, qu'il avait « en commun avec lui presque toutes les propriétés pertinentes », en précisant néanmoins : « Presque toutes sauf deux, mais qui ont eu selon moi un poids très important dans la constitution de son projet intellectuel : il était issu d'une famille de bonne bourgeoisie provinciale et homosexuel. » Et il en ajoute une troisième, à savoir « le fait qu'il était et se disait philosophe », mais celle-ci, précise-t-il, n'est peut-être qu'un « effet des précédentes ». Ces remarques me paraissent très justes, et même incontestables. Mais l'inverse doit être vrai également : le choix de la sociologie par Bourdieu, et la physionomie même de son œuvre, pourraient bien être liés à son origine sociale et à sa sexualité. Comme on le voit notamment dans le jugement qu'il porte, de manière

---

1. Pierre Bourdieu, *Esquisse pour une auto-analyse, op. cit.*, p. 103-104. J'ai raconté, dans mon journal de l'année 2004, c'est-à-dire quand ce livre parut en France, quelques-unes des nombreuses conversations que j'avais eues avec lui sur tous ces sujets, et sur d'autres, quand il l'écrivait et quand il m'en fit lire le manuscrit (cf. Didier Eribon, *Sur cet instant fragile… Carnets, janvier-août 2004*, Paris, Fayard, 2004). Face à mes critiques, il répondait que, quand il retravaillerait son livre pour le faire paraître en France après sa parution en Allemagne, il s'attacherait à modifier ces pages. Il n'en eut pas le temps.

plus générale, sur la philosophie, contre laquelle il mobilise, au nom de la sociologie et de la « science », tout un vocabulaire structuré par une opposition du masculin au féminin, ce dont il aurait dû être conscient, lui qui avait si magistralement étudié ces polarités binaires aussi bien dans ses études sur la Kabylie que dans son analyse du champ universitaire et de sa division en disciplines[1].

Si, à bien des égards, je me suis reconnu dans l'évocation qu'il propose, à la fin de ce livre, de la tension qui marqua sa jeunesse entre son inadaptation au système scolaire et son adhésion de plus en plus marquée à celui-ci, ce qui différencie mon parcours du sien, dans mes années lycéennes, c'est que, malgré quelques tentatives pour correspondre au modèle que m'imposaient les valeurs incorporées de mon milieu social, les premiers temps de ma présence dans l'enseignement secondaire, cela ne dura pas. Je délaissai bien vite les jeux de rôles de l'affirmation masculine (le tempérament bagarreur, qui ne me convenait guère, et que j'avais calqué sur celui de mon frère aîné et plus généralement des hommes – mais aussi des femmes – de ma famille) pour au contraire me dissocier, de façon de plus en plus marquée, de ces manières d'être caractéristiques des jeunes gens des classes populaires. Disons que, après avoir commencé par ressembler à ceux qui, dans le récit de Bourdieu, chahutent et refusent la culture scolaire, j'allais m'efforcer de ressem-

---

1. Sur les catégories masculinistes – et de classe – à l'œuvre dans le discours par lequel la sociologie se constitue comme « science » en s'opposant à la philosophie, voir Geoffroy de Lagasnerie, « L'inconscient sociologique. Émile Durkheim, Claude Lévi-Strauss et Pierre Bourdieu au miroir de la philosophie », *Les Temps modernes*, n° 654, 2009, p. 99-108.

bler à celui qui joue du violon, à l'« esthète » qui ne veut pas appartenir au groupe des « athlètes », bien que m'adonnant encore avec assiduité à la pratique sportive (activité que j'abandonnai très vite pour correspondre pleinement à ce que je voulais être, regrettant même amèrement d'avoir transformé mon corps au lieu de l'avoir conservé malingre et filiforme, selon l'image que j'adoptai alors de ce qu'est et doit être l'allure d'un intellectuel). C'est-à-dire que je choisis la culture contre les valeurs populaires viriles. Parce qu'elle est un vecteur de « distinction », c'est-à-dire de différenciation de soi d'avec les autres, de mise à distance des autres, d'écart institué avec eux, l'adhésion à la culture constitue souvent pour un jeune gay, et notamment pour un jeune gay issu des milieux populaires, le mode de subjectivation qui lui permettra de donner un appui et un sens à sa « différence » et, par conséquent, de se bâtir un monde, de se forger un *ethos* autre que celui qui lui vient de son milieu social[1].

L'apprentissage de la culture scolaire et de tout ce qu'elle exige s'avéra pour moi lent et chaotique : la discipline qu'elle requiert du corps autant que de l'esprit n'a rien d'inné, et il faut du temps pour l'acquérir quand on n'a pas eu la chance que cela intervienne dès l'enfance sans même que l'on s'en aperçoive. Ce fut pour moi une véritable ascèse : une éducation de moi-même, ou plus exactement une rééducation

---

1. J'ai développé ce point dans *Réflexions sur la question gay, op. cit.*, et dans *Une morale du minoritaire, op. cit.* Cet usage spécifiquement gay de la culture manque dans le modèle de *La Distinction* (Paris, Minuit, 1979) – ce que Bourdieu m'avait immédiatement accordé quand je lui avais fait un jour cette remarque.

qui passait par le désapprentissage que ce que j'étais. Ce qui allait de soi pour les autres, il me fallait le conquérir jour après jour, mois après mois, au contact quotidien d'un type de rapport au temps, au langage et aussi aux autres qui allait profondément transformer toute ma personne, mon *habitus*, et me placer de plus en plus en porte-à-faux avec le milieu familial que je retrouvais chaque soir. Pour le dire simplement : le type de rapport à soi qu'impose la culture scolaire se révélait incompatible avec ce qu'on était chez moi, et la scolarisation réussie installait en moi, comme une de ses conditions de possibilité, une coupure, un exil même, de plus en plus marqués, me séparant peu à peu du monde d'où je venais et où je vivais encore. Et comme tout exil, celui-ci contenait une forme de violence. Je ne la percevais pas, puisque c'est avec mon consentement qu'elle s'exerçait sur moi. Ne pas m'exclure – ou ne pas être exclu – du système scolaire m'imposait de m'exclure de ma propre famille, de mon propre univers. Tenir les deux sphères ensemble, appartenir sans heurts à ces deux mondes n'était guère possible. Pendant plusieurs années, il me fallut passer d'un registre à l'autre, d'un univers à l'autre, mais cet écartèlement entre les deux personnes que j'étais, entre les deux rôles que je devais jouer, entre mes deux identités sociales, de moins en moins liées l'une à l'autre, de moins en moins compatibles entre elles, produisait en moi une tension bien difficile à supporter et, en tout cas, fort déstabilisante.

L'entrée au lycée de la ville me mit au contact direct des enfants de la bourgeoisie (et surtout des fils de la bourgeoisie, puisque les établissements scolaires commençaient à peine d'être mixtes). La manière de parler, les vêtements portés et surtout la familiarité des autres garçons de ma classe avec la culture – je veux dire : avec la culture légitime –, tout me rappelait que j'étais une sorte d'intrus, quelqu'un qui n'est pas à sa place. Le cours de musique constituait peut-être le test le plus insidieux, mais le plus brutal de la maîtrise ou non de ce qu'on entend par « la culture », de la relation d'évidence ou d'extranéité que l'on entretient avec elle : le professeur arrivait avec des disques, nous faisait écouter interminablement des extraits d'œuvres, et si les élèves issus de la bourgeoisie mimaient alors la rêverie inspirée, ceux issus des classes populaires échangeaient en sourdine des plaisanteries idiotes ou ne pouvaient se retenir de parler à voix haute ou de pouffer de rire. Tout conspire donc à installer un sentiment de non-appartenance et d'extériorité dans la conscience de ceux qui rencontrent des difficultés pour se plier à cette injonction sociale que le système scolaire, à travers chacun de ses rouages, adresse à ses usagers. En réalité, deux voies se présentaient à moi : poursuivre cette résistance spontanée, non thématisée comme telle, qui s'exprimait dans tout un ensemble d'attitudes rétives, d'inadaptations, d'inadéquations, de dégoûts et de ricanements, de refus obstinés, et finir par me retrouver expulsé sans bruit de ce système, comme tant d'autres, par la force des choses, mais, en apparence, comme une simple conséquence de mon comportement individuel, ou bien me plier peu à peu aux exigences de l'école, m'adapter à elle, accepter ce qu'elle demande, et parvenir ainsi à me maintenir à l'intérieur de ses murs. Résister, c'était me perdre. Me soumettre, me sauver.

2

Au lycée, à l'âge de 13 ou 14 ans, je me liai d'une étroite amitié avec un garçon de ma classe, fils d'un professeur de l'université, alors embryonnaire, de la ville. Il ne serait pas excessif de dire que j'étais amoureux de lui. Je l'aimais comme on aime à cet âge-là. Mais puisque nous étions deux garçons, il était évidemment impossible pour moi de lui exprimer les sentiments que j'éprouvais à son égard (c'est l'une des difficultés les plus traumatisantes de l'attirance homosexuelle au cours de l'adolescence – ou à d'autres moments de la vie d'ailleurs : on ne peut pas exprimer ce que l'on ressent pour quelqu'un du même sexe que soi, ce qui explique la nécessité des lieux de rencontre où il est entendu que les lois de l'évidence ont été inversées, dès lors qu'on en connaît l'existence et qu'on a l'âge de les fréquenter). J'ai écrit : « impossible de lui exprimer » ces sentiments. Bien sûr. Mais, d'abord, de les formuler en ces termes pour moi-même. J'étais encore trop jeune, et toute la culture était – est encore très largement – organisée de telle sorte que l'on ne dispose pas à cet âge-là de références, d'images, de discours pour comprendre et nommer cet attachement affectif si

173

intense autrement qu'à travers les catégories de l'« amitié ». Un jour que le professeur de musique demandait aux élèves de reconnaître un morceau qu'il allait nous faire écouter, je fus ahuri de voir ce garçon lever le bras au bout de quelques mesures et annoncer triomphalement : « *Une nuit sur le mont Chauve,* de Moussorgski ! » Et moi, pour qui ce cours était tout simplement ridicule, ce type de musique insupportable, moi qui n'étais jamais en peine de trouver une raillerie, mais qui voulais avant tout lui plaire, je fus désarçonné par cette découverte : il connaissait et aimait ce qui me semblait ne pouvoir être qu'objet de rire et de rejet, ce qu'on appelait chez moi la « grande musique » quand on tombait sur une radio qui en diffusait et que l'on s'empressait d'éteindre en disant : « On n'est pas à la messe. »

Il avait un beau prénom. Moi, un prénom banal. Cela symbolisait en quelque sorte l'écart social entre lui et moi. Il habitait avec sa famille dans une grande maison située dans un quartier aisé proche du centre de la ville. Aller chez lui m'impressionnait et m'intimidait. Je ne voulais pas qu'il comprenne que j'habitais dans une cité nouvelle à la périphérie et je restais évasif quand il me posait des questions à ce sujet. Un jour pourtant, curieux sans doute de savoir où et comment je vivais, il vint sonner à ma porte sans m'en avoir averti au préalable. J'en fus mortifié, malgré la gentillesse que traduisait ce geste, que j'aurais dû considérer comme une façon pour lui de me signifier que je n'avais aucune raison d'avoir honte. Il avait des frères et des sœurs plus âgés que lui et qui suivaient des études à Paris, et, en raison de l'atmosphère familiale dans laquelle il baignait, sa conversation charriat des noms de cinéastes ou d'écrivains : il me parlait des films de Godard, des romans de Beckett…. À côté de lui, je me sentais très ignorant. Il m'apprenait tout cela, et surtout l'envie d'apprendre tout cela. Il me fascinait et j'aspirais à lui ressembler. Et je me mis à parler, moi aussi, de Godard, dont je n'avais rien vu, et de Beckett, dont je n'avais rien lu. Il était évidemment bon élève et ne manquait jamais une occasion d'afficher une distance dilettante avec le monde scolaire, et j'essayais de jouer le même jeu, alors que je ne disposais pas des mêmes atouts. J'appris à tricher. Je m'attribuais des connaissances que je n'avais pas. Qu'importait la vérité ? Seules comptaient les apparences et l'image que je m'évertuais à fabriquer et à donner de moi-même. J'allais jusqu'à imiter sa manière d'écrire (je veux dire : sa graphie), et aujourd'hui encore les lettres que je forme sont l'un des vestiges de cette relation d'autrefois. Une relation qui, d'ailleurs, ne dura que fort peu de temps. Je le perdis bientôt de vue. Nous étions à la fin des années 1960 et cette époque imprima en nos deux jeunes esprits une empreinte profonde mais radicalement différente. Il quitta le lycée, bien avant de passer le bac, et partit « faire la route ». Il admirait Kerouac, aimait jouer de la guitare, se reconnaissait dans la culture hippie… Moi, je fus plutôt marqué par Mai 68 et la révolte politique : en 1969 je devins – j'avais à peine 16 ans – un militant trotskiste, ce qui occupa la majeure partie de mon existence au cours des années suivantes. Je le restai jusqu'à l'âge de 20 ans environ, et cela m'amena à lire avec dévotion Marx, Lénine et Trotski, ce qui représenta pour moi une expérience intellectuelle décisive, puisque c'est ce qui m'orienta vers la philosophie.

L'influence que cette amitié exerça sur moi et l'aide que, sans s'en rendre compte, ce garçon m'apporta furent néanmoins déterminantes : mon *habitus* de classe me portait, au début, à résister à la culture scolaire, au type de discipline qu'elle exige. J'étais turbulent, indocile, et il s'en serait fallu d'un rien pour que des forces irrésistibles me conduisent à dériver vers un refus complet. Lui, c'était le contraire : la culture était son monde, depuis toujours. Il écrivait des nouvelles – dans le registre du fantastique. Je voulus le suivre sur cette voie, et me mis à écrire également. Il avait pris un nom de plume. Je décidai de m'en choisir un aussi. Quand je le lui révélai, il se moqua de moi, car le mien était inventé de toutes pièces (alambiqué et saugrenu) quand le sien se composait, m'asséna-t-il, de son deuxième prénom et du nom de jeune fille de sa mère. Je ne pouvais rivaliser. J'étais sans cesse renvoyé à mon infériorité. Il était cruel et blessant sans le vouloir, sans le savoir. J'ai souvent rencontré par la suite des situations analogues : où les *ethos* de classe sont au principe de comportements et de réactions qui ne sont que l'actualisation des structures et des hiérarchies sociales dans le moment d'une interaction. L'amitié n'échappe pas aux lois de la pesanteur historique : deux amis, ce sont deux histoires sociales incorporées qui tentent de coexister, et parfois, dans le cours d'une relation, si étroite soit-elle, ce sont deux classes qui, par un effet d'inertie des *habitus*, se heurtent l'une à l'autre. Les attitudes, les propos n'ont pas besoin d'être agressifs au sens fort du terme, ni intentionnellement blessants, pour l'être malgré tout. Par exemple, quand on évolue dans les milieux bourgeois ou simplement dans la moyenne bourgeoisie, on est souvent confronté à la présomption d'être l'un des leurs. De même que les hétérosexuels parlent toujours des homosexuels sans imaginer que ceux à qui ils s'adressent pourraient bien appartenir à l'espèce stigmatisée dont ils se moquent ou qu'ils dénigrent, de même les membres de la bourgeoisie parlent à ceux qu'ils fréquentent comme s'ils avaient traversé depuis toujours les mêmes expériences existentielles et culturelles qu'eux. Ils ne s'aperçoivent pas qu'ils vous agressent en le supposant (même si cela vous flatte et suscite en vous, car il a fallu tant de temps pour y parvenir, la fierté de « passer » pour ce que vous n'êtes pas : un enfant de la bourgeoisie). Cela se produit parfois avec les amis les plus proches, les plus anciens, les plus fidèles : quand mon père est mort, l'un des miens – un héritier ! – à qui je disais que je n'assisterais pas aux obsèques, mais que je devais néanmoins aller à Reims pour voir ma mère, me fit cette remarque : « Oui, de toute façon il faudra que tu sois là pour l'ouverture du testament chez le notaire. » Cette phrase, prononcée sur le ton d'une tranquille évidence, me rappela à quel point les parallèles ne se rejoignent jamais, pas même dans la relation d'amitié. L'« ouverture du testament »! Grands dieux! Quel testament? Comme si l'on avait l'habitude, dans ma famille, de rédiger des testaments et de les enregistrer chez le notaire. Pour léguer quoi, d'ailleurs? Dans les classes populaires, on ne se transmet rien de génération en génération, pas de valeurs ni de capitaux, pas de maisons ni d'appartements, pas de meubles anciens ni d'objets précieux[1]… Mes parents n'avaient rien d'autre que de misérables économies, dif-

---

1. Richard Hoggart le souligne dans *33 Newport Street, op. cit.*

ficilement placées, année après année, sur un livret de caisse d'épargne. Et de toute façon, ma mère considérait que cela lui appartenait, puisque c'est ce qu'elle et mon père avaient « mis de côté » ensemble, en prélevant sur leurs revenus des sommes dont ils auraient eu pourtant besoin. L'idée que cet argent, leur argent, puisse aller à quelqu'un d'autre qu'à elle, fût-ce à ses enfants, lui semblait incongrue et insupportable. « C'est quand même à moi ! On s'est privés pour garder ça en cas de besoin… », s'exclama-t-elle avec beaucoup d'indignation dans la voix quand, la banque lui ayant appris que les quelques milliers d'euros qui figuraient sur leur compte commun devaient être partagés entre ses fils et que seule une faible part lui en revenait, elle dut nous demander de signer un papier qui lui laissait le bénéfice de cet « héritage ».

Toujours est-il que ce garçon brièvement fréquenté au lycée me donna le goût des livres, un rapport différent à la chose écrite, une adhésion à la croyance littéraire ou artistique, qui ne furent au début que joués, et qui devinrent chaque jour un peu plus réelles. Au fond, c'est l'enthousiasme qui comptait, et le désir de tout découvrir. Le contenu vint après. Grâce à cette amitié, mon rejet spontané – c'est-à-dire fruit de mon origine sociale – de la culture scolaire ne déboucha pas sur un refus de la culture tout court, mais se transmua en une passion pour tout ce qui touchait à l'avant-garde, à la radicalité, à l'intellectualité (Duras et Beckett me séduisaient, mais Sartre et Beauvoir leur disputèrent bientôt la suprématie dans mon cœur et, dans la mesure où je devais découvrir par moi-même ces auteurs et leurs œuvres, c'est souvent parce que je voyais leur nom au bas d'une pétition – notamment pendant et après Mai 68 – que je me tournais vers eux : c'est ainsi que j'achetai *Détruire dit-elle* en 1969, à sa parution, sous la couverture qui me sembla magique des Éditions de Minuit, puis que je m'enthousiasmai pour les Mémoires de Beauvoir). Je passai donc sans transition de mes lectures d'enfant – la série du Club des cinq dans la « Bibliothèque rose » dont chaque volume m'avait enchanté avant mon entrée au lycée – à la découverte enthousiaste de la vie littéraire et intellectuelle contemporaine. Je déguisais mon inculture, mon ignorance des classiques, le fait que je n'avais quasiment rien lu de tout ce que les autres avaient lu à mon âge – *Guerre et paix, Les Misérables…* –, en attitude hautaine et méprisante à leur égard, me moquant de leur conformisme : ils me traitaient de « snob », ce qui, évidemment, me ravissait. Je m'inventai une culture, en même temps qu'une personnalité et un personnage.

Qu'est devenu celui à qui je dois tant ? Je n'en eus pas la moindre idée jusqu'à ce que j'entreprenne, il y a quelques mois, une recherche sur Internet. Nous habitons la même ville, mais vivons sur des planètes différentes. Il a continué de s'intéresser à la musique et s'est, semble-t-il, acquis une certaine notoriété dans le monde de la chanson en réalisant les « arrangements » de plusieurs disques qui rencontrèrent le succès. Il n'y avait donc aucun regret à avoir : qu'aurions-nous pu nous dire, une fois révolu le temps de l'amitié adolescente ? Au fond, cette relation ne dura que trois ou quatre ans. Et je soupçonne qu'elle ne revêtit pas pour lui l'importance qu'elle eut pour moi.

Mes choix scolaires portent également la marque du milieu social démuni d'où je venais. Nous ne disposions d'aucune des informations nécessaires sur les orientations pour lesquelles il était préférable d'opter, ne maîtrisions aucune des stratégies de placement dans les filières nobles : je me dirigeai vers la section littéraire alors que le bon choix eût été une section scientifique (classe d'élection à l'époque, mais il est vrai que j'avais décroché des mathématiques dès la troisième et que ce sont les « lettres » qui m'attiraient), j'abandonnai en quatrième l'étude du grec ancien, où j'avais brillé en sixième et cinquième, dont je me convainquis que cela ne servait à rien – mais c'était surtout parce que le garçon dont je viens de parler avait décidé de l'abandonner, et je reprenais à mon compte ses jugements sur ce qu'il fallait ou ne fallait pas faire, tenant par-dessus tout à rester dans la même classe que lui –, ne conservant que le latin, dont l'intérêt m'apparaissait également de moins en moins évident ; et à l'inverse, en ce cas, de celui qui me servait de « guide », je choisis l'espagnol en seconde langue vivante au lieu de l'allemand vers lequel s'orientaient les enfants de la bourgeoisie ou des professions intellectuelles. Le cours d'espagnol rassemblait les élèves les plus faibles du lycée, d'un point de vue scolaire, et surtout ceux qui venaient des milieux les moins aisés – ces deux registres étant statistiquement liés – et ce choix qui n'en était donc pas un préfigurait en réalité une élimination directe à plus ou moins long terme ou une relégation dans une de ces filières dépotoirs nées de la « démocratisation » et qui apportaient l'éclatante démonstration que celle-ci n'était en grande partie qu'un leurre. J'ignorais tout cela, bien sûr. Je me laissais porter par mes goûts et mes dégoûts. J'étais attiré par le sud, par l'Espagne, et je voulais apprendre l'espagnol (ma mère me l'a rappelé tout récemment, quand je me suis moqué de ses fantasmes biologiques à propos de l'Andalousie : « Mais toi aussi, tu ne parlais que de l'Espagne quand tu étais jeune, et pourtant tu n'y avais jamais été. Il doit bien y avoir une raison »). L'Allemagne et la langue allemande m'inspiraient une profonde détestation, une répulsion même. À cet égard, j'étais nietzschéen avant d'avoir lu Nietzsche et de connaître *Ecce homo* et *Le Cas Wagner* : la Méditerranée comme horizon, la chaleur contre le froid, la légèreté contre la pesanteur, la vivacité contre l'esprit de sérieux. La joie de midi contre la tristesse du soir. En réalité, je croyais choisir et j'étais choisi, ou plutôt capté par ce qui m'attendait. Ce dont je m'aperçus quand un professeur de lettres qui se souciait de ma réussite me fit remarquer que le choix de l'espagnol m'engageait dans une filière de second ordre et m'imposait de végéter au milieu des plus mauvais élèves du lycée. En tout cas, je le compris très vite, c'était la voie que suivaient ceux qui me ressemblaient socialement, mais pas ceux à qui je ressemblais scolairement (ce qui signifie qu'un enfant des classes populaires, même quand il est un très bon élève, a toutes les chances d'emprunter les mauvais chemins et de suivre les mauvais parcours, c'est-à-dire de se trouver toujours à l'écart, et en dessous, des voies d'excellence, qui sont autant sociales que scolaires).

J'arrivai en terminale « littéraire ». L'enseignement de la philosophie que j'étais censé y recevoir s'avéra, hélas, affligeant, jusqu'à l'absurde : un terne professeur, jeune pourtant, puisqu'il venait d'obtenir le CAPES, abordait les notions au programme en nous dictant un cours soigneusement découpé en paragraphes : « Petit a, la thèse de Bergson, Petit b, la thèse de… ». Sur chaque thème, il nous lisait ses fiches et proposait d'insipides résumés de doctrines et d'ouvrages qu'il ne devait connaître lui-même que par l'intermédiaire de manuels scolaires. Rien n'était problématisé. Tout enjeu avait disparu. Cela ne présentait aucun intérêt et il était donc impossible de s'y intéresser. Il appréciait et conseillait à ses élèves des livres ridicules (il prêta à certains d'entre nous *Le Matin des magiciens* de Louis Pauwels et autres idioties de ce genre!). Je brûlais d'être initié à la pensée et à la réflexion. J'étais prêt pour l'enthousiasme, et la plus plate des routines professorales vint doucher mes ardeurs. C'était à vous dégoûter de la philosophie. Je n'eus pas la chance d'avoir un de ces professeurs dont le verbe fait vibrer la classe et dont on se souvient toute sa vie ; qui vous initie à des auteurs dont on se met alors à dévorer l'œuvre. Non, rien, si ce n'est l'ennui, la grisaille. Je « séchais » donc les cours autant que je le pouvais. Pour moi, la philosophie, c'était le marxisme, et les auteurs que Marx citait. À travers Marx, je me pris de passion pour l'histoire de la pensée philosophique. Je lisais beaucoup et j'eus, par conséquent, une excellente note au baccalauréat. Il en fut de même dans les autres matières (en histoire, on m'interrogea sur Staline : j'étais trotskiste, je savais tout!) et je réussis l'examen sans le moindre problème, et même avec beaucoup de facilité. Pour mes parents, cela constituait un événement à peine imaginable. Ils en furent bouleversés.

J'allai m'inscrire à la faculté des lettres et sciences humaines. Il fallait choisir une matière et j'hésitai entre l'anglais et la philosophie. J'optai pour la philosophie, qui correspondait plus à l'image que j'avais de moi-même et qui allait désormais occuper ma vie et façonner ma personne. En tout cas, je me sentais flatté par mon propre choix. Devenir « étudiant en philosophie » me rendait naïvement heureux. Je ne connaissais rien des classes préparatoires aux grandes écoles, des hypokhâgnes et des khâgnes, ni des Écoles normales supérieures au concours d'entrée desquelles elles donnent accès. Quand j'étais en terminale, j'ignorais jusqu'à l'existence des unes et des autres. Ce n'est pas seulement l'accès à ces institutions qui était, et est toujours, et peut-être de plus en plus, réservé à des élèves qui ne viennent pas des classes populaires, mais la simple connaissance du fait que de telles possibilités existent. La question ne se posa donc pas pour moi. Et quand j'en entendis parler, alors que j'étais déjà entré à l'université, je me sentis – quelle innocence! – supérieur à ceux qui, chose étrange à mes yeux, menaient leurs études dans le cadre d'un lycée après avoir obtenu le baccalauréat, alors que « aller la fac » m'apparaissait comme ce à quoi tout étudiant se devait d'aspirer. Là encore, l'ignorance des hiérarchies scolaires et l'absence de maîtrise des mécanismes de sélection conduisent à opérer les choix les plus contre-productifs, à élire les parcours condamnés, en s'émerveillant d'avoir accès à ce qu'évitent soigneusement ceux qui savent. En fait, les classes défavorisées croient accéder à ce dont elles étaient auparavant exclues, alors que, quand elles y accèdent, ces positions ont perdu la place et la valeur qu'elles avaient dans un état antérieur du système. La relégation s'opère plus lentement, l'exclusion se produit plus tardivement, mais l'écart entre les dominants et les dominés reste intact : il se reproduit en se déplaçant. C'est ce que Bourdieu appelle la « translation de la structure[1] ». Ce que l'on a désigné sous le nom de « démocratisation », c'est une translation dans laquelle la structure, par-delà les apparences du changement, se perpétue et se maintient, presque aussi rigide qu'autrefois.

1. Pierre Bourdieu, *La Distinction, op. cit.*, p. 145 sv.

3

Alors que je venais d'entrer à l'université, ma mère me dit un jour, sur le ton de quelqu'un qui a longuement réfléchi avant d'annoncer sa décision : « On peut te payer deux ans à la fac, mais après, il faudra que tu ailles travailler. Deux ans, c'est déjà bien. » À ses yeux (comme à ceux de mon père), c'était un grand privilège de poursuivre ses études à l'université jusqu'à 20 ans. Je n'avais pas encore pleinement conscience que les études littéraires dans une université de province n'étaient rien d'autre – ou guère plus – qu'une voie de relégation. Je savais néanmoins que c'était beaucoup trop court pour que cela permette de trouver un débouché professionnel, puisqu'il fallait trois ans pour obtenir une licence, quatre pour la maîtrise. Les noms de ces diplômes me semblaient merveilleux. J'ignorais qu'ils avaient déjà commencé de perdre presque toute valeur. Mais, puisque je voulais devenir professeur dans un lycée, il me fallait les obtenir avant de pouvoir passer les concours de recrutement de l'enseignement secondaire, CAPES et agrégation. Et puis je ne pouvais envisager de quitter l'université aussi vite, car je m'étais pris de passion pour la philosophie. Pas celle, bien sûr, poussiéreuse et soporifique, qu'on m'y enseignait. Mais celle que je m'enseignais moi-même, c'est-à-dire, désormais, principalement Sartre et Merleau-Ponty. Je me passionnais aussi pour les marxistes humanistes des pays de l'Est, et notamment Karel Kosik, dont *La Dialectique du concret* exerçait sur moi une étrange séduction : je n'ai gardé aucun souvenir de ce livre, si ce n'est qu'il me plaisait tellement que je le lus et relus plusieurs fois d'un bout à l'autre en deux ou trois ans. J'admirais aussi *Histoire et conscience de classe* du premier Lukács (je vomissais le second, celui des années 1950, à cause de ses attaques staliniennes contre Sartre et l'existentialisme dans *La Destruction de la raison*), Karl Korsch et quelques autres auteurs qui défendaient un marxisme ouvert, non dogmatique, tel Lucien Goldmann, sociologue aujourd'hui bien oublié, peut-être injustement d'ailleurs, mais à l'époque très important, dont *Le Dieu caché* et *Sciences humaines et philosophie* m'apparaissaient comme des sommets de la sociologie des œuvres... Je truffais mes dissertations de références à ces auteurs, ce qui devait paraître assez incongru aux professeurs réactionnaires pour qui je les écrivais (deux d'entre eux venaient de cosigner un livre intitulé *Un crime, l'avortement*), lesquels, bien que persuadés que j'étais de très loin, comme me le déclara l'un d'eux, le meilleur étudiant qu'ils aient jamais eu, me les rendaient avec des commentaires saluant « l'originalité de ma réflexion » mais des notes qu'ils ne pouvaient se résoudre à situer au-dessus de 10/20 – j'étais donc abonné à ce 10, qui montait parfois jusqu'à 12 lorsque je jouais leur jeu, avec plus ou moins de bonheur, en citant Lavelle, Nédoncelle, Le Senne ou tel autre de leurs auteurs de prédilection... Ce n'est que dans les copies d'histoire de la philosophie que je pouvais briller, même si le Platon ou le Kant que je leur restituais ne manquaient jamais de leur paraître trop marqués par la lecture qu'en donnaient les penseurs qui m'inspiraient.

Lorsqu'on pénétrait dans ce département de philosophie, où régnait une torpeur démobilisatrice et démoralisante, en contraste total avec l'animation qui caractérisait les autres secteurs de la faculté, on arrivait au sein d'un univers clos d'où les bruits et les couleurs de la réalité extérieure semblaient avoir été bannis. Le temps y paraissait figé dans une éternité immobile : ici, Mai 68 n'avait pas existé, ni la critique sociale, politique, théorique qui avait accompagné et suivi ce grand mouvement de révolte. J'aspirais à apprendre, à découvrir la pensée du passé et celle du présent, à saisir leur rapport avec le monde alentour, et voilà que nous étions accablés de plates et redondantes explications d'auteurs et de textes qu'il suffisait de lire soi-même pour les comprendre et en saisir la portée mieux que ceux qui étaient payés pour nous les exposer. Tout cela suintait l'esprit scolaire, au sens le plus triste et le plus désolant du terme. À l'époque, des facultés se créaient ou se développaient un peu partout en France et je crois bien qu'on n'était pas trop regardant sur la qualité de ceux qu'on y nommait comme enseignants. Et cela s'avérait dissuasif : le nombre d'étudiants fondait au fil des mois et je faillis être emporté moi-même, à la fin de ma première année, par cette vague de désertions. Ce qui n'était, d'ailleurs, que l'amplification d'un phénomène plus général, dans la mesure où ce même sort guettait, dans toutes les disciplines, une bonne partie des étudiants issus des classes populaires qui avaient réussi à survivre jusque-là : livrés à eux-mêmes pour organiser leur travail, après les contraintes du lycée, ils ne parvenaient pas à se donner des règles d'assiduité et, comme aucune pression du milieu familial ne les poussait à continuer, bien au contraire, la machine à éliminer se mettait très vite en marche, avec pour mécanisme principal la force centrifuge du désintérêt et du renoncement.

Je traversai une période d'incertitude : à la fin de la première année, je ne réussis mes examens qu'à la session de rattrapage, en septembre. Cela provoqua en moi un sursaut. Je décidai de persévérer. Mais j'éprouvais à l'égard de ces incarnations caricaturales d'une certaine médiocrité universitaire qu'étaient les professeurs dont je viens de parler des sentiments que je me plaisais à imaginer proches de ceux consignés par Nizan dans son livre sur les maîtres de la Sorbonne dans les années 1920 et 1930 : une colère devant ces « chiens de garde » de la bourgeoisie. Mais cela n'avait rien à voir : les philosophes auxquels Nizan s'en prenait avec tant de dureté étaient tous de brillants esprits et d'éminents professeurs. Ils s'adressaient à des jeunes gens de la classe dominante et s'ingéniaient à conforter en ceux-ci une vision du monde propice au maintien de l'ordre établi. Mais les miens ! Répétiteurs sans talent d'une culture qu'ils s'acharnaient à rendre inutile en la vidant de toute substance, ils étaient inaptes à conserver quoi que ce soit, puisqu'ils ne transmettaient rien à des élèves qui, de toute façon, n'avaient aucune chance d'accéder un jour à des positions de pouvoir. Rien ! Si ce n'est, malgré eux et contre eux, le désir, chez quelques-uns de leurs étudiants, d'aller voir ailleurs et de lire autre chose.

Évidemment, ce qui constituait mon horizon intellectuel était totalement étranger à mes professeurs, et cela donnait lieu à des scènes cocasses, comme le jour où, alors que je venais de citer Freud dans un exposé, l'on m'objecta qu'il « réduisait tout aux plus bas instincts de l'homme », ou encore celui où, ayant mentionné Simone de Beauvoir, je fus interrompu par le même enseignant ultra-catholique, qui régnait sur le département de philosophie, d'un très sec : « Vous semblez ignorer que Mademoiselle de Beauvoir a manqué de respect à sa mère », allusion, j'imagine, au pourtant si beau *Une mort très douce*, où Beauvoir – « Mademoiselle » ! J'ai ri pendant des mois de cette façon de la désigner – raconte la mort, et aussi la vie, de sa mère.

Nous avions droit à des cours sur Plotin et Maine de Biran (je n'y comprenais rien et peinais à y trouver un quelconque intérêt), mais jamais sur Spinoza, Hegel ou Husserl, qui semblaient n'avoir pas existé. Quant à la « philosophie contemporaine », elle n'allait pas plus loin que l'existentialisme (qu'un des enseignants abordait dans le cadre d'un cours très scolaire mais bien renseigné sur « Bergson et l'existentialisme », où il montrait tout ce que Sartre devait au bergsonisme). Durant les quatre années que je passai dans ce département, je n'entendis jamais parler de Lévi-Strauss, Dumézil, Braudel, Benveniste, Lacan… dont l'importance était depuis fort longtemps reconnue. Ni, cela va sans dire, d'auteurs tels que Althusser, Foucault, Derrida, Deleuze, Barthes…

qui avaient pourtant déjà atteint à une grande notoriété. Mais cela, c'était à Paris, et nous étions à Reims. Si nous ne nous trouvions qu'à 150 kilomètres de la capitale, un gouffre nous séparait de la vie intellectuelle qui s'y réinventait alors avec une intensité inégalée depuis la période de l'après-guerre. Au fond, les engouements philosophiques de ma jeunesse, j'en ai bien conscience, étaient liés à ma situation provinciale et à mes origines de classe. Ce que je vivais comme le choix d'un type de pensée philosophique m'était en réalité dicté par ma position sociale. Eussé-je été étudiant à Paris, ou situé à une moindre distance des pôles où s'élaboraient – et se célébraient – les nouvelles voies de la pensée et de la théorie, mes choix se seraient portés sur Althusser, Foucault ou Derrida et non sur Sartre, que j'aurais regardé avec dédain, comme je découvris un peu plus tard que c'était de règle dans les milieux parisiens, où on lui préférait Merleau-Ponty, jugé plus sérieux, puisque moins célèbre dans le « siècle » (Althusser le souligne dans ses Mémoires posthumes). Je suis pourtant convaincu, encore aujourd'hui, que Sartre est un penseur beaucoup plus puissant et beaucoup plus original que Merleau-Ponty, qui était plutôt un professeur, un universitaire fort classique, dont la démarche s'inspira d'ailleurs pendant longtemps des idées de Sartre, avant qu'il ne rompe avec lui. De manière plus générale, j'aurais été soucieux de suivre les productions les plus avancées de la modernité intellectuelle. Mais en ce temps et en ce lieu, je ne jurais que par Sartre. C'était vraiment, pour moi, saint Sartre. Rétrospectivement, je ne regrette pas cet enthousiasme passé. Je préfère avoir été sartrien qu'althussérien. D'ailleurs, après une longue période de rupture avec ces premières amours intellectuelles, mes penchants « existentialistes » allaient se rappeler à moi quand je développerais ma propre œuvre, dans laquelle la référence à Sartre viendrait se mêler et se conjuguer à mes lectures plus tardives de Foucault et Bourdieu.

Mais pour continuer à m'intéresser à ce penseur qui me fascinait, il allait me falloir gagner ma vie. Beaucoup d'étudiants menaient de front leurs études et une activité professionnelle qui leur permettait de subvenir à leurs besoins. Et je n'avais d'autre choix que de me résigner à être l'un d'eux si je ne voulais éviter que mes aspirations à la vie intellectuelle ne viennent se briser net sur le mur d'un principe de réalité – économique – qui m'était rappelé presque chaque jour par ma famille.

Mais un coup de dés vint alors abolir la nécessité. Je ne sais comment je fus mis au courant de cette possibilité ni comment s'imposa à moi l'idée de tenter ma chance. Toujours est-il que, à la fin de ma deuxième année d'université, je m'inscrivis comme candidat et passai les épreuves de l'IPES (ce qui devait vouloir dire : Institut pédagogique de l'enseignement secondaire, mais je n'en suis pas certain). L'écrit se composait d'une dissertation générale et d'un commentaire de texte. Je serais bien incapable aujourd'hui de dire quel était le sujet de la dissertation. Le texte à commenter était un extrait du *Monde comme volonté et représentation* de Schopenhauer. Je venais de lire plusieurs ouvrages sur Nietzsche, et notamment sur son rapport à Schopenhauer, et, tout armé de ce savoir récent, je n'eus aucune peine à briller. Les autres candidats, sans doute déconcertés par l'étrangeté et la difficulté de ce passage, s'en sortirent moins bien. Quand on afficha les résultats, je constatai avec joie que la liste des admissibles ne comportait qu'un nom : le mien. Seul en lice, il me restait à passer deux épreuves orales, mais la partie était presque gagnée. J'obtins tout juste la moyenne en sociologie, mais en langue – j'avais choisi l'anglais – je sus traduire sans la moindre erreur un texte de Marcuse et mon commentaire – où je rapprochai son idée d'« atomisation » des individus du concept sartrien de sérialité – me valut les félicitations de l'enseignante du département d'anglais qui m'interrogeait et une note assez élevée. J'avais passé l'obstacle et j'allais donc être « élève-professeur » : un salaire me serait assuré pour au moins deux ans, et peut-être trois si j'obtenais une mention très bien à mon mémoire de maîtrise (ce qui allait être le cas). Le plus étonnant, c'est que rien n'était demandé en échange pendant la durée des études : on s'engageait simplement à servir dix ans dans l'enseignement secondaire une fois passés les concours de recrutement (CAPES et agrégation). Mais le nombre de postes y était si faible à l'époque (j'ai passé l'agrégation deux fois : la première année ce nombre s'élevait à 16, la deuxième à 14, alors qu'il y avait plus de mille candidats) que je n'avais aucune chance d'y réussir. Il fallait pour cela – et rien n'a changé depuis, au contraire – avoir suivi la voie royale : classes préparatoires et Écoles normales supérieures. Mon échec était joué d'avance. Je le découvrirais plus tard. Pour l'heure, seuls importaient ma nouvelle situation et le bonheur qu'elle me procurait : j'allais recevoir un salaire pour me consacrer à mes études.

J'ouvris un compte en banque et, dès que l'argent commença d'arriver, je pris une chambre en ville, près du centre, malgré les réticences de mes parents, qui auraient préféré que je continue d'habiter avec eux et que je « rende ma paye ». Ils avaient subvenu à mes besoins et ma mère eut bien du mal à comprendre et à accepter que je quitte le domicile familial le jour même où je me mis à gagner ma vie, au lieu de les aider à mon tour. Cela dut la perturber. Elle hésita, c'est certain. Mais, alors même que j'étais encore mineur (la majorité était à 21 ans), elle se résigna et ne chercha pas à m'en empêcher. Peu de temps après, je décidai de m'installer à Paris. J'avais 20 ans. J'en avais tant rêvé. Fasciné par les Mémoires de Beauvoir et tout ce qu'elle y évoquait, je voulais connaître les lieux qu'elle et ses proches fréquentaient, les rues dont elle parlait, les quartiers qu'elle décrivait. Je sais aujourd'hui que cela relève de la légende héroïque, d'une vision quelque peu mythifiée. Mais cette légende m'émerveillait, m'hypnotisait. C'était, à vrai dire, une époque où la vie intellectuelle, ses rapports avec la vie politique, sociale, culturelle exerçaient une attraction magnétique et suscitaient le désir de participer à ce monde de la pensée : on admirait les grandes figures, on s'identifiait à elles, on brûlait de s'intégrer à cette geste créatrice. On se projetait soi-même dans l'avenir sous la figure d'un intellectuel, de quelqu'un qui écrirait des livres, échangerait des idées avec d'autres au cours de discussions fiévreuses, interviendrait dans la politique, aussi bien du point de vue pratique que du point de vue théorique… Je pourrais dire que les livres de Simone de Beauvoir et le désir de vivre librement mon homosexualité furent les deux grandes raisons qui présidèrent à mon installation à Paris.

J'étais encore inscrit à l'université de Reims, puisque le salaire que je recevais m'était versé par le rectorat de cette académie, et je revenais donc presque chaque semaine pour y suivre les cours, ou plutôt faire acte de présence. C'est là que je passai ma maîtrise. Je rédigeai un mémoire sur « Le moi et l'autre dans l'existentialisme français », dans lequel je m'intéressais aux premiers travaux de Sartre, jusqu'à *L'Être et le néant*, et à leur rapport à Husserl et Heidegger. Je n'en ai conservé aucun exemplaire et n'ai plus qu'une idée très vague de ce qu'il contenait. Si ce n'est que, à la fin de l'introduction, j'attaquais le structuralisme, et nommément Lévi-Strauss et le Foucault des *Mots et les choses*, dont la faute majeure consistait, à mes yeux d'alors, à « nier l'histoire ». Je n'avais lu ni l'un ni l'autre, mais je débitais à leur encontre les lieux communs qui prospéraient chez les auteurs marxistes que j'avais constitués comme mes références, notamment Lucien Goldmann, et surtout Sartre, qui n'avait cessé de réaffirmer, contre la pensée structuraliste, la liberté du sujet, qu'il avait rebaptisée « praxis » dans ses textes des années 1960, où il s'efforçait de réélaborer – en les conservant – les principes philosophiques définis dans *L'Être et le néant* afin de les concilier avec son adhésion ultérieure au marxisme, et donc de donner une place aux déterminations historiques tout en maintenant l'idée ontologique d'un arrachement fondamental de la conscience – la « néantisation » – aux pesanteurs de l'histoire et à la logique des systèmes, des règles, des structures…

J'obtins mon diplôme avec mention, et grâce à l'année supplémentaire d'IPES dont cela me permit de bénéficier, je quittai enfin cette université qui, à l'époque, était assurément une université de troisième zone, et m'inscrivis en DEA à la Sorbonne (Paris-I), tout en préparant l'agrégation. Pour des raisons qui m'échappent aujourd'hui, je n'étais plus obligé, bien qu'étant toujours payé par l'académie de Reims, de m'inscrire dans cette ville. Sans doute parce que le DEA constituait la première année de la thèse, et qu'il n'y avait donc plus d'obligation de respecter les assignations géographiques de la « carte scolaire ». J'habitais Paris depuis deux ans déjà, et je pouvais enfin être également étudiant à Paris… Reims était derrière moi. Je n'avais plus de raisons d'y aller. Je n'y allai plus. Ma vie était parisienne. Et j'étais heureux. À la Sorbonne, j'eus de bons, et même d'excellents, de passionnants professeurs. Comparés à ceux de Reims, c'était le jour et la nuit. Pendant deux ou trois ans, j'allai suivre avec assiduité les cours de plusieurs d'entre eux. D'une certaine manière, c'est à ce moment-là que je devins étudiant en philosophie. Il me fallait rattraper mon retard – je pouvais le mesurer chaque jour par comparaison avec ceux que je côtoyais sur les bancs des amphithéâtres –, et je passais mon temps à lire. On pourrait parler d'une éducation philosophique différée. Je m'y adonnai sans retenue : Platon, Descartes et Kant reprenaient des couleurs, et je pouvais découvrir enfin sérieusement Spinoza et Hegel…

Je soutins avec succès mon DEA, pour lequel j'avais rédigé un mémoire sur Nietzsche et le langage (qu'en ai-je fait ? Je ne sais plus. Je ne suis pas certain d'en avoir gardé un exemplaire). Et je ratai, comme il se devait, l'agrégation. Je n'en fus pas trop affecté, car je m'y attendais. J'avais compris que je n'étais pas au niveau d'un concours de ce genre.

Je m'inscrivis ensuite en thèse, et je choisis de travailler sur les philosophies de l'histoire, de Hegel jusqu'au Sartre de la *Critique de la raison dialectique*. Il ne me vint pas à l'esprit d'aller jusqu'à Foucault et *Surveiller et punir*, qui venait de paraître mais que je n'avais pas eu l'envie ni même l'idée de lire. J'allais pourtant, peu de temps après, découvrir l'œuvre émergente de Pierre Bourdieu, puis celle de Foucault, déjà bien établie. Mon univers théorique allait basculer. Et Sartre, par voie de conséquence, être poussé à l'écart dans un recoin de mon esprit, avant de sortir, au bout d'une quinzaine d'années, de ce purgatoire intérieur où je le plaçai à ce moment-là. Mais pour l'heure, afin de mener à bien mon projet de thèse et de pouvoir me présenter une seconde fois à l'agrégation, il me fallait trouver un emploi. Avec mon échec à l'agrégation à la fin de l'année de DEA, mes conditions de vie allaient changer : je ne recevrais plus de salaire et je devrais me débrouiller pour gagner un peu d'argent. Je devins veilleur de nuit plusieurs soirs par semaine dans un hôtel de la rue de Rennes (j'en sortais à 8 heures du matin et allais directement en cours à la Sorbonne, avant de rentrer dormir l'après-midi. C'était épuisant et je ne tins pas ce rythme plus de quelques mois). Puis je trouvai un travail le soir, de 18 heures à minuit, en proche banlieue : je gardais des ordinateurs qui, en ces temps-là, ressemblaient à de hautes armoires métalliques, et j'assurais la sauvegarde des données qui ronronnaient dans ces machines en les enregistrant sur des bandes magnétiques de la taille d'une bobine de film. À minuit, je me précipitais vers la gare pour attraper le dernier train pour Paris. Cela n'avait rien de passionnant, mais du moins disposais-je de temps pour lire, et je profitais de ces heures où j'étais enfermé dans ce bureau pour étudier sérieusement les auteurs au programme (je me revois en train de lire, des soirées entières, Descartes et Leibniz). Quand j'échouai une seconde fois à l'agrégation, malgré d'assez bonnes notes à l'écrit, je fus assez désespéré. J'avais investi beaucoup d'espoir et beaucoup d'énergie dans ce concours, et dans l'idée que je pourrais devenir professeur de l'enseignement secondaire, et cela n'avait servi à rien. L'Éducation nationale ne voulait pas de moi pour enseigner dans un lycée – et je fus donc libéré de mon engagement à servir dix ans dans le corps professoral puisqu'on ne parvint pas à me fournir un poste de « maître auxiliaire », c'est-à-dire professeur remplaçant et non titulaire. Je n'avais pas non plus les moyens de continuer mes études plus longtemps pour pouvoir m'orienter vers une carrière universitaire, dont je compris à quel point il était évident que seuls des « héritiers », socialement et économiquement privilégiés, pouvaient l'embrasser. J'avais fui mon milieu social, mais j'étais rattrapé par mes origines : il allait me falloir renoncer à ma thèse, à mes ambitions intellectuelles, aux illusions dont elles se soutenaient. La vérité déniée de ce que j'étais se rappelait à moi et m'imposait sa loi : je devais trouver un vrai travail. Mais comment ? Et lequel ? On voit bien ici que la valeur des diplômes est étroitement liée à la position sociale : non seulement mon DEA n'avait pas constitué pour moi la voie d'accès à une thèse, ce qu'il était pour d'autres, puisqu'il fallait pour cela avoir de l'argent pour vivre pendant qu'on la rédigeait (sinon, on s'obstine à croire qu'on l'écrit, jusqu'au jour où l'on doit se rendre à l'évidence : on ne l'écrit pas, parce qu'on occupe un emploi qui dévore le temps et l'énergie), mais encore, et j'énonce là une vérité dont l'évidence est si flagrante qu'il est inutile de s'attarder à la démontrer, un tel diplôme ne revêt pas la même valeur et n'offre pas les mêmes possibilités selon le capital social dont on dispose et selon le volume d'information nécessaire aux stratégies de reconversion du titre en débouché professionnel. Dans ces situations, l'aide de la famille, les relations, les réseaux de connaissances, etc., tout concourt à donner au diplôme sa véritable valeur sur le marché du travail. Et de capital social, il faut bien dire que je n'en possédais guère. Ou pour être plus précis : que je n'en possédais pas. Et d'informations non plus. Donc mon diplôme ne valait rien, ou en tout cas pas grand-chose.

V

1

Quand je me remémore ces années de mon adolescence, Reims m'apparaît non seulement comme le lieu d'un ancrage familial et social qu'il me fallait quitter pour exister autrement, mais également, et ce fut tout autant déterminant dans ce qui guida mes choix, comme la ville de l'insulte. Combien de fois m'y suis-je fait traiter de « pédé » ou d'autres mots équivalents ? Je ne saurais le dire. Du jour où je la rencontrai, l'insulte ne cessa plus de m'accompagner. Oh, certes, je la connaissais depuis toujours... Qui ne la connaît pas ? On l'apprend en apprenant le langage. Avant même de savoir ce qu'elle signifiait, je l'entendais aussi bien chez moi qu'à l'extérieur du foyer familial.

J'ai raconté plus haut que mon père exprimait sa colère à l'égard des personnalités politiques lorsqu'il regardait la télévision. Il en allait de même quand il voyait apparaître à l'écran ceux qu'il exécrait en raison de leur sexualité réelle ou supposée. Jean Marais figurait-il au générique d'un film ? Mon père répétait alors toutes les cinq minutes : « C'est une pédale », « C'est une tapette », « C'est une tantouze », et ce d'autant plus que ma mère ne manquait jamais une occasion de dire qu'elle le trouvait beau. Elle n'aimait pas ce genre de phrases et lui répondait systématiquement : « Mais qu'est-ce que ça peut te faire ? », ou bien : « Les gens font ce qu'ils veulent, ça ne te regarde pas… » Parfois, elle changeait de registre et devenait moqueuse : « Peut-être, mais il est plus riche que toi. » Découvrir peu à peu ce qu'étaient mes désirs et ce que serait ma sexualité signifia donc pour moi entrer dans cette catégorie préalablement définie et stigmatisée par ces mots d'insulte et éprouver l'effet de terreur qu'ils exercent sur ceux qui les reçoivent et les ressentent comme ce à quoi ils risquent d'être exposés toute leur vie. L'insulte est une citation venue du passé. Elle n'a de sens que parce qu'elle a été répétée par tant d'autres locuteurs auparavant : « Un mot vertigineux venu du fond des âges », comme le dit un vers de Genet. Mais elle représente aussi, pour ceux qu'elle vise, une projection dans l'avenir : le pressentiment affreux que ces mots et la violence dont ils sont porteurs les accompagneront tout au long de leur vie. Devenir gay, c'est devenir la cible, et s'apercevoir qu'on était potentiellement la cible avant même de le devenir réellement, et donc avant même d'en avoir conscience, d'un vocable mille fois entendu et dont on connaît depuis toujours la force injurieuse. On est précédé par une identité stigmatisée que l'on vient à son tour habiter et incarner et avec laquelle il faut se débrouiller d'une manière ou d'une autre. Et si elles sont diverses et nombreuses, les manières possibles sont toutes marquées au sceau de cette puissance constituante de la profération injurieuse. Non pas que l'homosexualité soit une issue qu'on invente pour ne pas suffoquer, comme l'avance Sartre en une formule énigmatique à propos de Genet, mais plutôt que l'homosexualité impose de trouver une issue pour ne pas étouffer. Je ne puis m'empêcher de penser que la distance qui s'instaura – que je m'efforçai d'instaurer – avec mon milieu social et l'autocréation de moi-même comme « intellectuel » constituèrent la manière que j'inventai pour me débrouiller avec ce que je devenais et ne pouvais devenir qu'en m'inventant différent de ceux dont je différais. Je me suis décrit plus haut, en évoquant ma trajectoire scolaire, comme un « miraculé » : il se pourrait bien que, en ce qui me concerne, le ressort de ce « miracle » ait été l'homosexualité.

Ainsi, avant même que je ne découvre que c'était de moi qu'elle parlait, l'insulte m'était familière. Je l'ai moi-même employée plus d'une fois et, pour être franc, j'ai continué de l'adresser à d'autres, quand j'avais 14 ou 15 ans, après avoir compris que c'était de moi qu'elle parlait, afin de la détourner de moi, de m'en protéger : avec deux ou trois élèves de ma classe, nous nous moquions d'un garçon du lycée que nous jugions efféminé et que nous traitions de « tapette ». En l'insultant, je m'insultais moi-même, par ricochet, et le plus triste, c'est que je le savais confusément. Mais j'y étais poussé par l'irrépressible désir d'affirmer mon appartenance au monde des « normaux », d'éviter le risque d'être exclu de celui-ci. C'était sans doute aussi une manière de me mentir à moi-même autant que de mentir aux autres : un exorcisme.

Bientôt, pourtant, je devins le destinataire direct de l'insulte, puisque c'est à moi personnellement qu'elle s'adressa. Je fus environné par elle. Et plus encore : défini par elle. Elle m'accompagnait partout, pour me rappeler sans cesse que je contrevenais à la règle, à la norme, à la normalité. Dans la cour du lycée, dans le quartier où j'habitais… elle se tenait là, tapie, prête à surgir, et elle surgissait presque inévitablement. Me rendais-je sur un lieu de drague, quand j'eus découvert, à l'âge de 17 ans, l'existence de tels endroits – en l'occurrence une rue peu discrète entre le Grand Théâtre et le palais de justice –, qu'une voiture ralentissait et que de pauvres types hurlaient « Pédés! » à ceux qui se trouvaient là. C'était comme si une conspiration organisée avait décrété que cette agression verbale ne pouvait prendre toute sa force et toute son efficacité que si elle était répétée sans cesse, et partout. Il me fallut apprendre à vivre avec. Comment faire autrement? Mais je ne parvins jamais à m'y habituer vraiment. Chaque fois, l'acte toujours réitéré de la désignation injurieuse qui m'était adressée venait me transpercer comme un coup de couteau, me terroriser aussi, car il signifiait qu'on savait ou subodorait ce que j'étais, alors que j'essayais de le cacher, ou qu'on m'assignait un destin, celui d'être à jamais soumis à cette omniprésente dénonciation et à la malédiction qu'elle prononçait. On m'exposait en place publique : « Voyez donc ce qu'il est, croit-il vraiment qu'il peut déjouer notre vigilance? » En fait, c'est toute la culture autour de moi qui me criait « pédé » quand ce n'était pas « tapette », « tantouze », « tata » et autres vocables hideux dont la simple évocation aujourd'hui ravive en moi le souvenir, jamais disparu, de la peur qu'ils m'inspiraient, de la blessure qu'ils m'infligeaient, du sentiment de honte qu'ils gravaient en mon esprit. Je suis un produit de l'injure. Un fils de la honte.

On me dira : l'insulte est seconde, c'est le désir qui est premier et c'est de cela qu'il faudrait parler! Il est vrai qu'on devient l'objet de l'injure parce que l'on éprouve le désir qu'elle condamne. Et je désirais des garçons de ma classe, du club d'aviron où je fus inscrit pendant quelque temps (entre 13 et 15 ans), de l'organisation politique dont je devins militant à 16 ans… Et ce fut d'abord avec deux garçons de ce club d'aviron, puis avec un garçon de ma classe, en seconde, que j'eus mes premières expériences sexuelles. Mais pas avec ceux de l'organisation trotskiste dont j'ai parlé. Même s'il ne versait pas dans l'homophobie qui régnait au Parti communiste ou dans les mouvements maoïstes, le militantisme trotskiste était foncièrement hétérosexiste et en tout cas peu accueillant à l'homosexualité. L'on y récitait alors un catéchisme reichien sur la « révolution sexuelle », un freudo-marxisme dans lequel la condamnation de l'homosexualité par le marxisme traditionnel se mêlait à celle portée par la psychanalyse : l'idée selon laquelle la société bourgeoise reposerait sur la répression de la libido et sur le détournement de l'énergie libidinale vers la force de travail, et que, par conséquent, la libération sexuelle contribuerait à l'avènement d'un autre système social et politique, contenait un jugement dépréciatif sur l'homosexualité, considérée comme un simple effet des tabous sexuels, destiné à disparaître avec ceux-ci. En réalité, j'éprouvais tous les jours qu'il n'y avait pas de place pour moi dans le marxisme et, à l'intérieur de ce cadre comme partout, je devais vivre une vie divisée. J'étais coupé en deux : moitié trotskiste, moitié gay. Deux identités séparées, qui semblaient inconciliables et que, de fait, j'avais bien du mal à concilier et que j'eus de plus en plus de mal à faire tenir ensemble. Je comprends pourquoi le mouvement gay des années 1970 ne put naître qu'en rompant avec ce type d'organisation et de pensée politiques, même s'il resta fortement marqué, dans certaines de ses composantes, par l'idéologie reichienne[1]. Et c'est en grande partie contre ce discours freudo-marxiste et, plus généralement, contre le marxisme et la psychanalyse que Foucault entreprendra d'écrire, au milieu des années 1970, son *Histoire de la sexualité*, avec l'intention, notamment, d'y forger une nouvelle approche de la question du pouvoir et de la transformation sociale : il entendait débarrasser la pensée critique et la radicalité émancipatrice non seulement du freudo-marxisme, mais aussi, et avec tout autant de fermeté, du marxisme et de la psychanalyse, de l'« hypothèse communiste » et de l'hypothèque lacanienne[2]. Comment, dès lors, soit dit en passant, ne pas déplorer la sinistre régression que représente le retour sur la scène intellectuelle aujourd'hui de ces vieux dogmatismes figés et stérilisants, et, bien sûr, très souvent hostiles au mouvement gay et aux mouvements sexuels en général ? – un retour qui semble avoir été produit et appelé comme son envers solidaire dans un même paradigme politique par le moment réactionnaire que nous traversons depuis de longues années déjà.

---

1. Guy Hocquenghem critiquera durement Reich dans *Le Désir homosexuel*, en 1972 (cf. rééd. Paris, Fayard, 2000, p. 154 sv.). Sur les engouements reichiens d'une partie du mouvement homosexuel des années 1970, voir Thierry Voeltzel, *Vingt ans et après*, Paris, Grasset, 1978, notamment p. 18 et 29 (ce livre est un dialogue entre un jeune homme de 20 ans et un « ami plus âgé », qui n'est autre que Michel Foucault. J'ai commenté ce texte dans *Réflexions sur la question gay, op. cit.*, p. 433-439).

2. Michel Foucault, *Histoire de la sexualité*, t. I : *La volonté de savoir*, Paris, Gallimard, 1976. Je renvoie sur ce point à mes analyses de la démarche de Foucault dans la troisième partie de *Réflexions sur la question gay, op. cit.*, dans *Une morale du minoritaire, op. cit.*, et dans *Échapper à la psychanalyse*, Paris, Léo Scheer, 2005.

Toujours est-il que ces désirs – mes désirs – comme leurs trop rares réalisations étaient voués au silence et au secret. Qu'est-ce qu'un désir qui doit se taire, se cacher, se nier en public ; qui vit dans la crainte d'être moqué, stigmatisé ou psychanalysé, puis, une fois dépassé ce stade de la peur, qui doit sans cesse s'affirmer, se réaffirmer et proclamer, parfois de manière théâtrale, surjouée, agressive, « outrancière », « prosélyte », « militante », son droit d'exister ? Un désir qui porte donc en lui une essentielle fragilité, une vulnérabilité consciente d'elle-même et éprouvée en tout lieu et à tout moment ; un désir hanté par l'inquiétude (dans la rue, sur le lieu de travail…). Et ce d'autant plus que l'injure, c'est aussi l'ensemble des mots péjoratifs, dépréciateurs, dévalorisants, sarcastiques, humiliants que l'on entend sans en être le destinataire direct : ce mot « pédé » et ses synonymes qui reviennent de manière obsessionnelle dans les conversations de la vie quotidienne, à l'école, au lycée, dans la famille… et par lesquels on se sent frappé, brûlé, glacé dans la mesure où, même si ceux qui les emploient en bavardant avec vous n'ont pas l'air d'imaginer que c'est de vous qu'ils parlent, on ressent fortement que l'on est soi-même visé et atteint par ce vocable appliqué à quelqu'un d'autre ou utilisé de manière générale en référence à une catégorie vague mais à laquelle on a le sentiment d'appartenir, tout en voulant de toutes ses forces ne pas y appartenir. (C'est sans doute là l'un des ressorts psychologiques les plus puissants de la volonté, si forte et si durable, de désidentification chez les gays et les lesbiennes, et aussi de l'horreur qu'inspire à certains d'entre eux l'existence même d'un mouvement gay et lesbien qui contribue à faire exister une image publique et s'affirmant comme telle de ce qu'ils aimeraient cantonner à une sphère du privé bénéficiant d'un « droit à l'indifférence » sociale, bien que ce fantasme soit démenti par leur expérience personnelle, où ils ont dû éprouver chaque jour à quel point le privé et le public sont inextricablement mêlés, à quel point même le « privé » est une production de la sphère publique, c'est-à-dire à quel point le psychisme dans ses recoins les plus privés est façonné par les injonctions de la normativité sexuelle.) L'injure réelle ou potentielle – c'est-à-dire celle que l'on reçoit effectivement ou celle que l'on redoute de recevoir, en tâchant d'en déjouer l'irruption, ou celle encore, obsédante et violente, par laquelle on se sent assailli partout et toujours – constitue dès lors l'horizon du rapport au monde et aux autres. L'être-au-monde s'actualise dans un être-insulté, c'est-à-dire inférioirisé par le regard social et la parole sociale. L'objet de l'acte inférioirisant de la nomination est produit comme un sujet assujetti par les structures de l'ordre sexuel (dont l'injure ne représente que la pointe acérée) et c'est toute sa conscience – et son inconscient, si tant est que l'on puisse ici tracer une séparation nette entre ces deux sphères étroitement liées l'une à l'autre – qui se trouve marquée et façonnée par ce qui devient le processus même de la construction de soi et de l'identité personnelle. Rien de purement psychologique, donc : plutôt l'action aussi insidieuse qu'efficace des normes sexuelles et des hiérarchies qu'elles commandent et qui fabriquent, jour après jour, les psychismes et la subjectivité.

2

Reims fut également, et en même temps, la ville où je parvins, au prix de mille et une difficultés, à me construire comme gay, c'est-à-dire, avant même de m'assumer et de me revendiquer comme tel, à vivre une vie gay. Car ce dont on essaie de se persuader qu'il vaudrait mieux ne pas l'être – un « pédé » –, on se demande en même temps, et avec beaucoup d'intensité, comment le devenir : comment rencontrer des partenaires – sexuels, amoureux –, des amis également, des gens à qui parler librement. Et l'on découvre un jour qu'il existe des lieux de drague. Je l'appris d'une étrange manière : l'été de mes 17 ans, alors que je travaillais pendant les vacances scolaires dans une compagnie d'assurances, l'une des employées, qui ne cessait de se moquer derrière son dos du chef de service, me dit en riant : « C'est une tata ! Si tu passes la nuit près du théâtre, tu le verras draguer. » L'information m'arrivait accompagnée d'une injure terrorisante, mais ce n'en était pas moins une information inouïe. Il est vrai que le petit chef en question, volontiers autoritaire et cassant, était en permanence l'objet des plaisanteries des jeunes femmes placées sous ses ordres. Il semblait persuadé que nul n'était au courant de sa sexualité, mais tout dans ses gestes, sa démarche, sa voix, sa manière de parler clamait aux autres ce qu'il souhaitait tant leur dissimuler. Et, comme c'est souvent le cas des gays qui cherchent à cacher ce qu'ils sont au point que leur identité sexuelle problématique en vient à occuper tout leur esprit, il ne pouvait s'empêcher d'en parler, en racontant en toute occasion des blagues et des « histoires drôles », toujours salaces, sur l'homosexualité – qui circulaient sans doute dans le milieu gay qu'il fréquentait –, et il avait vraiment l'air de croire que cet humour graveleux dirigé contre ceux à qui il redoutait d'être associé suffisait à éloigner de lui tout soupçon. J'ai souvent rencontré par la suite, sous de multiples formes, ce même type d'attitude duplice, d'attraction-répulsion, qui conduit – j'écris au présent, car cela continue d'exister – de nombreux gays à évoquer compulsivement l'homosexualité, mais de manière ostentatoirement dépréciative ou dégoûtée, afin de mettre à distance ceux à qui tant de liens les rattachent (Ne pourrait-on avancer que le paradigme de cette attitude, comme s'est plu à le souligner André Gide dans son *Journal*, se trouve dans la personne et dans l'œuvre de Proust, bien que le résultat, est-il nécessaire de le préciser, ne se situe pas toujours à une telle hauteur ?)

Alors même qu'on avait accolé à ceux qui s'y rendaient une étiquette infamante, apprendre qu'un tel endroit existait me frappa comme une révélation miraculeuse. Tout en redoutant d'être aperçu par quelqu'un qui me reconnaîtrait, puisque se trouver là signifiait qu'on était une « tata », je brûlai immédiatement de l'envie d'aller voir ce qui s'y passait, et, peut-être, de rencontrer quelqu'un. Le soir même, ou le lendemain, je pris mon vélosolex pour aller dans le centre-ville. Je le laissai assez loin de la rue où des hommes entraient rapidement et furtivement à l'intérieur de toilettes publiques auxquelles on accédait par un escalier de quelques marches. D'autres déambulaient plus loin dans la rue, et d'autres encore restaient assis dans leur voiture puis démarraient soudainement, et alors une deuxième voiture suivait la première et les deux conducteurs allaient se parler dans un endroit à l'abri des regards. Je ne sais plus si l'on vint m'aborder ce premier soir. Ou si cela se produisit plus tard. Ce fut en tout cas mon entrée dans le monde gay. Et une voie d'accès à toute la subculture qui lui est liée.

Je ne suis jamais descendu dans cet urinoir. Cela me répugnait. Et m'inquiétait. Je ne savais pas encore que les toilettes publiques – les « tasses », en argot gay – sont l'un des cadres traditionnels de la drague homosexuelle. Mais cette rue et les rues adjacentes, la place du théâtre, les alentours de la cathédrale, non loin de là, constituèrent désormais le décor d'une partie de ma vie nocturne. J'y passais des soirées entières, à marcher sans cesse, ou à faire semblant de téléphoner dans la cabine attenante à l'arrêt d'autobus, pour qu'on ne puisse pas penser que je draguais. Dans les jours qui suivirent ma « première fois », l'employée à qui je devais d'avoir connu l'existence de cet endroit et à qui décidément rien n'échappait me dit d'un ton mi-ironique, mi-intrigué : « Je t'ai vu près du théâtre... Tu allais draguer? » J'inventai une histoire : « Non, pas du tout, j'allais voir un ami qui habite à côté », mais ma réponse était peu crédible, le ton de ma voix devait traduire mon trouble, et son opinion fut arrêtée. Elle ne me manifesta d'ailleurs aucune hostilité. Les mots injurieux qu'elle utilisait couramment relevaient de ce qu'on pourrait appeler une homophobie d'habitude, et si j'avais eu le courage de lui avouer ce jour-là que j'étais gay, elle m'aurait englobé dans la catégorie des « tatas », se serait moquée de moi en mon absence, mais cela n'aurait pas affecté la sympathie qu'elle éprouvait à mon égard ni la gentillesse amicale à travers laquelle elle s'efforçait de l'exprimer à chaque instant. S'installa alors entre nous un étrange rapport où la défiance se mêlait à une complicité de nature incertaine : elle savait ce que j'étais, je savais qu'elle le savait, elle savait que je savais qu'elle le savait… et j'avais peur qu'elle en parle à d'autres – ce dont elle ne se priva sans doute pas –, et elle jouait de cette crainte par des allusions que j'espérais être le seul à comprendre. J'étais entré pour deux mois dans cette compagnie d'assurances par l'intermédiaire de la femme de mon frère – ou plutôt sa future femme, car ils n'étaient pas encore mariés –, qui y travaillait, et j'étais épouvanté à l'idée que celle qui m'avait percé à jour ne l'informe de sa découverte. Le fit-elle ? Il est probable que oui, mais rien n'en transparut. Bientôt arriva la fin de l'été, et je ne revis plus jamais cette fille : mais je retrouvai souvent ce genre de situations dans lesquelles s'imbriquent les jeux du savoir et du pouvoir, et c'est à elle que je pensai quand je lus, vingt ans plus tard, les analyses d'Eve Kosofsky Sedgwick, dans *Epistemology of the Closet*, sur le « privilège épistémologique » dont jouissent les hétérosexuels, la manière dont ils manipulent la connaissance qu'ils détiennent sur ce que sont les homosexuels, quand ceux-ci aimeraient tant échapper à l'emprise de ce regard. Les pages que Sedgwick consacre à ces questions, notamment dans son éblouissant chapitre sur Proust, réveillèrent en moi bien des échos de mes expériences passées[1].

Il y avait également un bar gay à Reims à ce moment-là, et nombreux étaient ceux qui préféraient la discrétion qu'il offrait au danger de s'exposer au regard public dans la rue. Mais je n'aurais pas osé – et pas eu le droit, en raison de mon âge – d'y aller. De toute façon, par un mélange de puritanisme gauchiste et d'élitisme intellectuel ou qui se croyait tel, je considérais alors les bars et les boîtes de nuit comme des divertissements condamnables ou en tout cas méprisables.

Les lieux de rencontre comme celui-ci sont aussi des espaces de sociabilité et d'apprentissage d'une culture spécifique : chaque conversation, que ce soit avec des gens avec qui on va partir un peu plus tard, avec qui on ne voudra pas partir ou que l'on croise là chaque fois qu'on y vient et qu'on finit par connaître, sans souvent savoir grand-chose d'eux, constitue, pour un jeune gay, le moyen d'une socialisation dans le monde gay, une manière de devenir gay, au sens d'une imprégnation culturelle informelle : on entend les ragots sur qui « en est » dans la ville, on apprend les codes, les mots de l'argot spécifique, les manières de parler propres aux gays (l'usage du féminin, par exemple), les plaisanteries traditionnelles (« Quelle heure est-elle ? », « Quel temps fait-elle ? »), et l'on est ini-

---

1. Cf. Eve Kosofsky Sedgwick, *Epistemology of the Closet*, Berkeley, University of California Press, 1990. Je me suis largement inspiré de ses analyses dans *Réflexions sur la question gay, op. cit.*

tié, par ces discussions et bavardages, ou en regardant les bibliothèques et les discothèques de ceux que l'on accompagne chez eux, à tout un ensemble de références : livres dans lesquels il est question d'homosexualité (c'est ainsi que j'entendis parler pour la première fois de Genet, que je m'empressai de lire, mais aussi d'auteurs de moindre envergure), chanteuses adulées par les gays (je me pris de passion, comme tant d'autres, pour Barbara, après avoir entendu ses disques chez un de mes amants qui la vénérait, et je découvris ensuite – ou peut-être à ce moment-là – qu'elle était une icône gay), musique classique et opéra (qui constituaient alors pour moi des continents inconnus et très lointains et que, bien des années après, grâce à ces initiations et à ces incitations, j'allais explorer avec une grande ferveur, en devenant non seulement un amateur, mais un connaisseur, ne ratant pas un concert, pas un spectacle, achetant plusieurs versions d'une même œuvre, lisant les biographies des compositeurs : Wagner, Mahler, Strauss, Britten, Berg…), etc. Au cours de ces conversations, on entend parler d'autres lieux de drague, et l'on s'empresse d'y aller, ou de la vie gay à Paris, sur laquelle on se met à rêver… Ainsi, des milliers de discussions informelles qui se tiennent soir après soir dans ce genre d'endroits lors de milliers de rencontres entre des habitués et de nouveaux arrivants s'agrègent sans que personne en ait vraiment conscience pour former le vecteur, au travers de toutes ces « initiations » individuelles, d'une véritable transmission d'héritage culturel (un héritage multiple, bien sûr, selon les âges et les classes sociales, et qui se transforme au fil du temps, mais qui façonne les contours d'une « culture » spécifique, ou si l'on préfère d'une

214

« subculture »). La littérature de l'« initiation » – que l'on songe aux *Faux-Monnayeurs* de Gide ou à *Du pur amour* et *L'École des garçons* de Jouhandeau – peut donc servir de métonymie ou de métaphore pour décrire un phénomène beaucoup plus large de subjectivation par enseignement et apprentissage, de même que la relation entre le directeur de conscience et le disciple dans les écoles philosophiques de l'Antiquité put servir à Foucault, à la fin de sa vie, de métonymie ou de métaphore – ou simplement de détour – pour penser les processus plus larges de certaines formes de la relationnalité gay.

En tout cas, les lieux de drague fonctionnaient comme des écoles de la vie gay. Même si on ne le percevait pas aussi clairement, cela va de soi, dans le moment où cette transmission de savoir s'effectuait. Dans *Gay New York*, qui porte sur la période 1890-1940, George Chauncey a magnifiquement dépeint et théorisé ce que je viens d'évoquer, et mon évocation elle-même doit beaucoup à ce qu'il me permit de mieux saisir et de mieux comprendre[1]. Quand je le lus, au milieu des années 1990, j'y retrouvai tant de choses que j'avais moi-même connues à Reims à la fin des années 1960 et au début des années 1970 que je ressentis une étrange et vertigineuse impression d'intemporalité, j'allais dire d'universalité de l'expérience homosexuelle. Ce qui est paradoxal, puisque ce livre se donne précisément pour but d'historiciser le monde gay – aussi bien les catégories de la sexualité par lesquelles il est régi que les pratiques sociales et culturelles qui l'organisent et

---

1. George Chauncey, *Gay New York. Gender, Urban Culture and the Making of a Gay Male World, 1890-1940*, New York, Knopf, 1994 ; trad. fr., *Gay New York, 1890-1940*, Paris, Fayard, 2003.

le font exister. Chauncey entend montrer à la fois que la culture gay n'a pas attendu la fin des années 1960 et les émeutes de Stonewall pour exister, et qu'elle était fort différente de celle que nous connaissons aujourd'hui. C'est un ouvrage très émouvant dans la mesure où il peut se lire comme un hommage rendu à tous ceux qui ont lutté pour pouvoir vivre leur vie et rendre vivable leur existence : un hymne à cette résistance quotidienne, obstinée, indéracinable, inventive que les gays ont opposée aux forces de la culture dominante qui les menaçaient sans cesse, les maltraitaient, les humiliaient, les réprimaient, les traquaient, les pourchassaient, les frappaient, les blessaient, les arrêtaient, les emprisonnaient… D'ailleurs, le premier phénomène qu'il analyse, et qui constitue même le point de départ de sa démarche, fortement inspirée de la sociologie urbaine développée par l'École de Chicago, c'est celui de la ville : comment la grande ville attire les gays et comment ils s'arrangent pour y créer et recréer sans cesse les conditions leur permettant de vivre leur sexualité, comment ils construisent des espaces de liberté, dessinent une ville gay dans la ville hétérosexuelle. Cela ne veut pas dire, bien sûr, qu'il n'est de vie gay que dans les grandes villes ! Les petites villes et les campagnes abritent elles aussi des lieux de rencontre, et donc des formes de sociabilité et de relationnalité qui, pour être moins nombreuses, moins concentrées et moins visibles, n'en sont pas moins réelles. Mais l'ampleur n'est pas la même. En tout cas, je retrouvai en lisant Chauncey le récit de bien des expériences que j'avais traversées moi-même, ou dont j'avais été le témoin. Et, surtout, j'y retrouvai reconstitué dans ce qu'il désigne sous le terme de « monde gay » l'ensemble des pratiques quotidiennes et des processus multiples qui permettent de s'aménager une vie gay à côté de la vie sociale que l'on mène par ailleurs, et où l'on sait qu'il est préférable de ne pas être identifié comme gay. Ce monde gay et ces modes de vie gays ne ressortissent donc pas seulement à la « sexualité », mais aussi à la création sociale et culturelle de soi comme sujet. On peut les décrire comme les lieux, les supports et les modalités d'une subjectivation à la fois individuelle et collective.

À n'en pas douter, il existe, comme nous invitent à le penser nombre de beaux travaux aujourd'hui, des géographies et des temporalités spécifiquement gays ou queer : où et comment vivent ceux qui ne s'inscrivent pas dans la « norme ». Il est tout aussi certain que ceux-là mêmes dont ces espaces-temps définissent partiellement l'existence ne sauraient y vivre en permanence : ce qui caractérise les vies gays ou queer, ce serait plutôt la capacité – ou la nécessité – de passer constamment d'un espace à l'autre, d'une temporalité à l'autre (du monde a-normal au monde normal et vice-versa).

3

On est également confronté dans ces lieux de drague, hélas, à de multiples formes de violence. On y croise des gens bizarres ou des demi-fous et il faut toujours être sur ses gardes. Et surtout on s'expose à être l'objet d'agressions physiques par des voyous ou bien à de fréquents contrôles d'identité par la police, qui y pratique un véritable harcèlement. Cela a-t-il changé ? J'en doute. Quelle terreur s'empara de moi le jour où je dus subir pour la première fois un tel contrôle – je devais avoir 17 ans – et que les policiers me déclarèrent que j'étais un malade mental et que je devrais me faire soigner, qu'ils avertiraient mes parents, que je resterais fiché toute ma vie... Ce ne fut que le début d'une longue série d'interactions avec la police, toujours accompagnées d'insultes, de sarcasmes, de propos menaçants. Au bout de quelques années, je finis par ne plus trop m'en soucier : cela devint l'un des éléments parmi d'autres de ma vie nocturne, pas le plus agréable, certes, mais au fond sans grandes conséquences (pour quelqu'un comme moi, en tout cas, puisque le risque est plus grand lorsqu'on habite une toute petite ville où tout se sait, ou lorsqu'on ne possède pas de papiers en règle).

219

Plus graves sont les agressions physiques. Il m'arriva à plusieurs reprises d'être victime de cette forme extrême de violence homophobe. Je m'en sortis heureusement sans trop de dégâts, mais j'ai connu autrefois un garçon qui avait perdu l'usage d'un œil après avoir été roué de coups par un groupe de « casseurs de pédés ». Je dois mentionner aussi les innombrables agressions dont je fus, au fil des années, le témoin impuissant, réduit à ressasser ensuite pendant des jours, des semaines, le lâche soulagement d'avoir été épargné et la tristesse, le dégoût d'avoir assisté à ces déchaînements de brutalité auxquels les gays doivent toujours craindre d'être soumis et face auxquels ils restent désarmés. Plus d'une fois il m'arriva de quitter précipitamment un de ces endroits, échappant de justesse au sort qui s'abattait sur d'autres. Un jour que je marchais, peu de temps après mon installation à Paris, dans la partie ouverte du jardin des Tuileries, qui était l'un des lieux de drague où j'aimais aller à la nuit tombée et où il y avait toujours beaucoup de monde, je vis arriver de loin un groupe de jeunes gens aux intentions malveillantes évidentes. Ils s'en prirent à un homme assez âgé, qu'ils se mirent à malmener en le rouant de coups de poing et, quand il fut tombé à terre, de coups de pied. Un car de police passait sur l'avenue qui, à cette époque, bordait le parc. Je l'arrêtai en criant à ses occupants : « Quelqu'un se fait agresser dans le jardin ! » Ils me répondirent : « On n'a pas de temps à perdre pour des pédés », et continuèrent leur route. Partout, dans les villes où il m'arrivait de me rendre pour une raison ou une autre et où j'allais me promener dans un lieu de drague, j'assistais à de telles scènes : des bandes animées par la haine se ruant tout à coup sur ce jardin ou ce parc, les personnes présentes s'enfuyant en courant et ceux qui n'avaient pas eu la chance de s'esquiver à temps devenant les inévitables victimes d'un passage à tabac, souvent, mais pas nécessairement, accompagné de vols (les montres, les portefeuilles, les passeports, et parfois les vêtements lorsqu'il s'agissait de blousons de cuir…).

Les lieux gays sont hantés par l'histoire de cette violence : chaque allée, chaque banc, chaque espace à l'écart des regards portent inscrits en eux tout le passé, tout le présent, et sans doute tout le futur de ces attaques et des blessures physiques qu'elles laissèrent, laissent et laisseront derrière elles – sans parler des blessures psychiques. Mais rien n'y fait : malgré tout, c'est-à-dire malgré les expériences douloureuses que l'on a soi-même vécues ou celles vécues par d'autres et dont on a été le témoin ou dont on a entendu le récit, malgré la peur, on revient dans ces espaces de liberté. Et ils continuent d'exister, parce que des gens continuent, en dépit du danger, de les faire exister.

Bien que l'apparition des sites de rencontre sur Internet ait produit de profonds bouleversements dans les manières d'entrer en relation avec des partenaires potentiels et, plus généralement, dans les modalités de la sociabilité gay, rien de ce que je viens de décrire n'a disparu, bien sûr. Et quand il m'arrive, et ce n'est pas si rare, de lire dans un journal qu'un homme a été retrouvé mort à l'intérieur d'un parc – ou l'équivalent fonctionnel : parking, bois, aire d'autoroute – « fréquenté la nuit par des homosexuels », toutes ces images se rappellent à moi, et je suis à nouveau saisi d'un sentiment de révolte et d'incompréhension : pourquoi les gens comme moi doivent-ils subir cette violence, vivre sous cette menace permanente ?

Il convient d'ajouter à cela la dévalorisation sociale et la pathologisation médicale (à l'œuvre dans les discours psychiatriques et psychanalytiques sur l'homosexualité) qui représentaient un autre type d'agression : non pas physique mais discursive et culturelle, et dont la prévalence, pour ne pas dire l'omniprésence, dans l'espace public participait d'une violence homophobe générale par laquelle on se sentait littéralement cerné. Et cela continue aujourd'hui, comme l'ont montré jusqu'à l'obscène les véritables ratonnades symboliques qui se sont déchaînées au cours des débats sur la reconnaissance juridique des couples de même sexe et des familles homoparentales : combien d'écrits à « prétention scientifique » – psychanalytiques, sociologiques, anthropologiques, juridiques, etc. – s'y sont révélés comme n'étant rien d'autre que les rouages d'un dispositif idéologique et politique chargé de garantir la perpétuation de l'ordre institué et des normes assujettissantes, et de maintenir les vies gays et lesbiennes dans l'état d'infériorité et d'incertitude de soi dans lequel toute la culture les avait jusqu'ici placées et dont ceux et celles qui vivent ces vies s'efforcent aujourd'hui, précisément, de sortir ?

Oui, pourquoi un certain nombre de gens sont-ils voués à la haine des autres (qu'elle s'exprime de manière brutale dans les agressions physiques sur des lieux de drague ou de manière euphémisée dans les agressions

222

discursives venues de l'espace intellectuel et pseudo-scientifique) ? Pourquoi certaines catégories de la population – gays, lesbiennes, transsexuels, ou Juifs, Noirs, etc. – doivent-elles porter le fardeau de ces malédictions sociales et culturelles dont on a bien du mal à concevoir ce qui les motive et les réactive inlassablement ? Je me suis longtemps posé cette question : « Pourquoi ? » Et aussi celle-ci : « Mais qu'avons-nous fait ? » Il n'est pas d'autre réponse à ces interrogations que l'arbitraire des verdicts sociaux, leur absurdité. Et comme dans *Le Procès* de Kafka, il est inutile de chercher le tribunal qui prononce ces jugements. Il ne siège pas, il n'existe pas. Nous arrivons dans un monde où la sentence a déjà été rendue, et nous venons, à un moment ou à un autre de notre vie, occuper la place de ceux qui ont été condamnés à la vindicte publique, à vivre avec un doigt accusateur pointé sur eux, et à qui il ne reste qu'à tâcher tant bien que mal de se protéger d'elle et de réussir à gérer cette « identité pourrie », comme le dit le sous-titre anglais du livre d'Erving Goffman, *Stigmate*[1]. Cette malédiction, cette condamnation avec lesquelles il faut vivre installent un sentiment d'insécurité et de vulnérabilité au plus profond de soi-même, et une sorte d'angoisse diffuse qui marque la subjectivité gay.

Tout cela, c'est-à-dire toutes ces réalités vécues au fil des jours, année après année – ces insultes, ces agressions, cette violence discursive et culturelle –, est gravé dans ma mémoire (je serais tenté de dire : dans mon être). Cela fait

1. Erving Goffman, *Stigma. Notes on the Management of Spoiled Identity*, Englewoods Cliff, NJ, Prentice-Hall, 1963. Sur la domination symbolique, voir Pierre Bourdieu, *Méditations pascaliennes*, Paris, Seuil, 1997, p. 203-204.

partie intégrante des vies gays, comme de celles de tous les sujets minoritaires et stigmatisés. On comprend pourquoi, par exemple, le climat qui règne dans les premiers textes de Foucault, tout au long des années 1950, de sa préface au livre de Ludwig Binswanger *Le Rêve et l'existence* en 1954 (où il est si proche, dans son intérêt pour la psychiatrie existentielle, du Fanon sartrien de *Peaux noires, masques blancs*, paru deux ans plus tôt) jusqu'à l'*Histoire de la folie* terminée en 1960, est précisément celui de l'angoisse, qu'exprime tout le vocabulaire, qu'il mobilise avec une troublante intensité, de l'exclusion, de l'extranéité, de la négativité, du silence contraint, et même de la chute et du tragique. À l'instar de Georges Dumézil, qui aimait à placer sa recherche sous l'égide du dieu Loki, en décrivant ce personnage du panthéon scandinave, avec ses transgressions sexuelles et son refus de l'ordre établi, comme le client idéal aujourd'hui pour une fiche psychiatrique bien remplie, ce qui à ses yeux était un compliment, c'est pour le promouvoir au grand jour, en faire accéder les balbutiements à la parole rendue à son plein droit que Foucault entreprit d'étudier cet « Enfer » de la « négativité » humaine et de l'« angoisse » que le regard médical cherchait à arraisonner et à réduire au silence[1].

Quand je relis ces textes incandescents et douloureux de Foucault, qui inaugurèrent son œuvre, j'y reconnais quelque chose de moi : j'ai vécu ce qu'il écrit, et qu'il avait vécu avant moi, cherchant un moyen de l'écrire. Et

---

1. Cf. Georges Dumézil, *Loki*, Paris, Maisonneuve, 1948, et mes commentaires sur ce livre dans « Le crime de Loki », in *Hérésies, op. cit.*, p. 19-32.

je vibre à chaque page, encore aujourd'hui, d'une émotion qui vient du plus profond de mon passé, et du sentiment immédiat d'une expérience partagée avec lui. Je sais à quel point il lui fut difficile de surmonter ces difficultés. Il tenta à plusieurs reprises de se suicider. Et il chemina longtemps en équilibre incertain sur la ligne qui sépare la raison de la folie (Althusser le dit superbement dans son autobiographie à propos de celui en qui il savait avoir un frère en « malheur »). Il s'en sortit par le moyen de l'exil (en Suède d'abord), puis par le patient labeur d'une mise en question radicale du discours pseudo-scientifique de la pathologisation médicale. Il opposa alors le cri de la Déraison, catégorie qui englobe notamment la folie et l'homosexualité, au milieu d'autres « déviances », au monologue que la psychiatrie, ce par quoi il désigne le discours des normaux et de la normalité, tient sur ceux qu'elle considère comme ses « objets » et qu'elle tente de maintenir dans la subordination. Toute la politique de Foucault, à l'époque, se déploie dans ce cadre défini par l'affrontement entre l'exclusion et la prise de parole, la pathologisation et la protestation, la sujétion et la révolte.

On peut lire l'*Histoire de la folie* comme un grand livre de résistance intellectuelle et politique. L'insurrection d'un sujet assujetti contre les puissances de la norme et de l'assujettissement. Dans la suite de son œuvre, au fil de ses remaniements successifs, Foucault ne cessera de poursuivre le même but : penser l'affrontement du sujet au pouvoir de la norme, réfléchir aux façons dont on peut réinventer son existence. Il n'est donc pas surprenant que ses textes touchent à ce point leurs lecteurs (certains d'entre eux en tout cas, puisque tant d'autres n'y voient que matière à glose académique) : c'est parce qu'ils parlent d'eux et s'adressent en eux aux failles et aux fêlures, c'est-à-dire à la fragilité, mais aussi à la rétivité et au goût du refus qui peuvent naître de celle-ci.

À n'en pas douter, nous pouvons ranger *Histoire de la folie*, sur les rayons de nos bibliothèques, ou plutôt de nos « sentimenthèques », selon le mot forgé par Patrick Chamoiseau pour désigner les livres qui nous « font des signes » et nous aident à combattre en nous-mêmes les effets de la domination[1], à côté d'un autre grand livre dont l'intention fut de contester le regard social et médical sur les déviants, et de rendre, ou de donner, à ceux-ci un statut de sujet du discours et non plus d'objet, de faire entendre leurs paroles qui contestent et récusent la parole que les autres tiennent sur eux : il s'agit, bien sûr, du *Saint Genet* de Sartre. Certes, la différence est de taille : dans le cas de Foucault et de la lutte qu'il engage contre l'arraisonnement psychiatrique et psychanalytique, c'est de lui-même qu'il s'agit, c'est de son expérience qu'il est question, et c'est sa propre voix qu'il affirme, sa vie qu'il défend; tandis que Sartre, lui, écrit sur un autre, et c'est une trajectoire autre que la sienne qu'il cherche à analyser, avec toute l'empathie et tout l'enthousiasme dont il était capable, pour rendre compte des mécanismes de la domination et des processus de l'invention de soi. Mais la parenté des deux livres, l'un publié au début des années 1950, l'autre au début des années 1960, est évidente (une parenté qui, d'ailleurs,

---

1. Patrick Chamoiseau, *Écrire en pays dominé*, Paris, Gallimard, 1997, p. 23-24.

pourrait bien être celle d'une filiation : je me plais à imaginer que Foucault fut profondément marqué par le livre de Sartre! Comment pourrait-il en avoir été autrement?). Un geste commun les relie l'un à l'autre.

Je ne découvris cet ouvrage de Foucault qu'à la fin des années 1970 (c'était en 1977, me semble-t-il). Après celui de Sartre, donc, que je crois, si ma mémoire est bonne, avoir lu en 1974 ou 1975. Et c'est ce dernier qui compta d'abord pour moi, au moment où les livres constituaient un point d'appui décisif dans le travail qu'il me fallait entreprendre pour me réinventer moi-même et reformuler ce que j'étais. Ou, plus exactement, où je décidai d'assumer ce que j'étais (et donc, bien sûr, de me réapproprier ce que l'hostilité ambiante me disait et me répétait que j'étais). Et l'assumer, me le réapproprier changeait tout, ou en tout cas beaucoup de choses. Ce fut vraiment une décision qui mûrit lentement en moi et s'imposa au terme d'une longue hésitation : je n'allais pas passer ma vie à souffrir en ayant honte, et peur aussi, d'être gay. C'était trop difficile. Trop pénible. On risque d'en devenir presque fou (de cette folie dont les psychanalystes vivent et qu'ils travaillent, peut-être pour cette raison même, à perpétuer). J'eus la force, ou la chance, et je ne saurais dire pourquoi, de pouvoir accomplir ce pas relativement tôt (à 19 ou 20 ans), en confiant d'abord ce « secret » à quelques amis, qui, d'ailleurs, le savaient déjà ou le pressentaient depuis longtemps et ne comprenaient pas pourquoi je ne leur disais rien, puis en revendiquant de manière théâtrale et ostentatoire ce qu'il m'était impossible de garder « secret » plus longtemps.

Je pourrais écrire, en m'inspirant de la prose métaphorique et fleurie de Genet, qu'il arrive un moment où l'on transmue les crachats en roses, les attaques verbales en une guirlande de fleurs, en rayons de lumière. Bref, un moment où la honte se transforme en orgueil... Et cet orgueil est politique de part en part, puisqu'il défie les mécanismes les plus profonds de la normalité et de la normativité. On ne reformule donc pas ce qu'on est à partir de rien : on accomplit un travail lent et patient pour façonner son identité à partir de celle qui nous a été imposée par l'ordre social. C'est pourquoi on ne s'affranchit jamais de l'injure, ni de la honte. D'autant que le monde nous lance à chaque instant des rappels à l'ordre, qui réactivent les sentiments qu'on aimerait oublier, qu'on croit parfois avoir oubliés. Si le personnage de Divine, dans *Notre-Dame-des-Fleurs*, après avoir dépassé le stade de l'enfance ou de l'adolescence, où la honte l'écrasait, pour se transformer en une figure flamboyante de la culture interlope de Montmartre, rougit à nouveau quand une injure lui est adressée, c'est parce qu'il lui est impossible d'ignorer les forces sociales qui l'environnent et l'assaillent – celles de la norme – et donc les affects que celles-ci ont inscrits et réinscrivent sans cesse au plus profond du psychisme des individus stigmatisés. Chacun de nous le sait, qui l'éprouve dans les situations les plus banales, où l'on se trouve frappé et meurtri sans s'y attendre, alors même que l'on pensait être immunisé. Il ne suffit pas d'inverser le stigmate, pour parler comme Goffman, ou de se réapproprier l'injure et de la resignifier pour que leur force blessante disparaisse à tout jamais. On chemine toujours en équilibre incertain entre la signification blessante du mot d'injure et la réappropriation orgueilleuse de celui-ci. On n'est jamais libre, ou libéré. On s'émancipe plus ou moins du poids que l'ordre social et sa force assujettissante font peser sur tous et à chaque instant. Si la honte est une « énergie transformatrice », selon la belle formule d'Eve Kosofsky Sedgwick[1], la transformation de soi ne s'opère jamais sans intégrer les traces du passé : elle conserve ce passé, tout simplement parce que c'est le monde dans lequel on a été socialisé et qu'il reste dans une très large mesure présent en nous aussi bien qu'autour de nous au sein du monde dans lequel on vit. Notre passé est encore notre présent. Par conséquent, on se reformule, on se recrée (comme une tâche à reprendre indéfiniment), mais on ne se formule pas, on ne se crée pas.

Il est donc vain de vouloir opposer le changement ou la « capacité d'action » (*agency*) aux déterminismes et à la force autoreproductrice de l'ordre social et des normes sexuelles, ou une pensée de la « liberté » à une pensée de la « reproduction »… puisque ces dimensions sont inextricablement liées et relationnellement imbriquées. Tenir compte des déterminismes ne revient pas à affirmer que rien ne peut changer. Mais que les effets de l'activité hérétique qui met en question l'orthodoxie et la répétition de celle-ci ne peuvent être que limités et relatifs : la « subversion » absolue n'existe pas, pas plus que l'« émancipation » ; on subvertit quelque chose à un moment donné, on se déplace quelque peu, on accomplit un geste d'écart, un pas de côté. Pour le dire en termes foucaldiens : il ne

---

1. Eve Kosofsky Sedgwick, « Shame, Theatricality and Queer Performativity : Henry James' *The Art of the Novel* », in *Touching Feeling. Affect, Pedagogy, Performativity*, Durham, NC, Duke University Press, 2002, p. 35-65.

faut pas rêver d'un impossible « affranchissement », tout au plus peut-on franchir quelques frontières instituées par l'histoire et qui enserrent nos existences.

Capitale fut donc pour moi la phrase de Sartre dans son livre sur Genet : « L'important n'est pas ce qu'on fait de nous, mais ce que nous faisons nous-même de ce qu'on a fait de nous. » Elle constitua vite le principe de mon existence. Le principe d'une ascèse : d'un travail de soi sur soi.

Cette phrase prit cependant dans ma vie un double sens et valut aussi bien, mais de manière contradictoire, dans le domaine sexuel que dans le domaine social : en m'appropriant et en revendiquant mon être sexuel injurié dans le premier cas ; en m'arrachant à ma condition sociale d'origine dans le second. Je pourrais dire : d'un côté en devenant ce que j'étais et, de l'autre, en rejetant ce que j'aurais dû être. Pour moi, les deux mouvements allèrent de pair.

Au fond, j'étais marqué par deux verdicts sociaux : un verdict de classe et un verdict sexuel. On n'échappe jamais aux sentences ainsi rendues. Et je porte en moi la marque de l'un et de l'autre. Mais parce qu'ils entrèrent en conflit l'un avec l'autre à un moment de ma vie, je dus me façonner moi-même en jouant de l'un contre l'autre.

ÉPILOGUE

1

Ce que je suis aujourd'hui se forma dans l'entrecroisement de ces deux parcours : j'étais venu habiter Paris avec le double espoir de vivre librement ma vie gay et de devenir un « intellectuel ». La première partie de ce programme se réalisa sans grande difficulté. Mais la seconde n'avait débouché sur rien : après avoir échoué dans mes tentatives pour entrer dans l'enseignement secondaire tout autant que dans celles pour mener à bien une thèse de doctorat, je me retrouvais sans travail ni perspectives. Je fus sauvé par les ressources qu'offrait la subculture gay. Les endroits de drague favorisent, jusqu'à un certain point, un brassage entre les classes sociales. On y rencontre des gens qu'on n'aurait pas eu l'occasion de côtoyer autrement, tant ils appartiennent à des milieux différents ou viennent d'horizons éloignés. Ce qui rend possibles des phénomènes de solidarité et d'entraide qui, pas plus que la « transmission culturelle » évoquée plus haut, ne sont vécus ou perçus directement comme tels au moment où ils se produisent. Je fis la connaissance, dans un lieu gay alors très fréquenté, le jardin public situé derrière Notre-Dame, d'un garçon avec qui j'entretins

233

"flottais"

une brève liaison. J'avais 25 ans. Je ne savais plus quoi faire. J'avais bien du mal à accepter l'évidence : il allait me falloir renoncer aux utopies dans lesquelles j'avais si naïvement projeté ma vie future depuis mon entrée à l'université. Je flottais, indécis, inquiet. Qu'allais-je devenir ? Un soir, ce garçon invita à dîner un de ses amis, qui vint avec sa compagne. Elle travaillait à *Libération*, un quotidien né au début des années 1970 avec le soutien de Sartre et de Foucault, dans le sillage des « luttes ». Nous sympathisâmes. Nous nous revîmes. Elle me demanda des articles… Je fus opiniâtre et m'accrochai à cette possibilité inouïe qui se présentait à moi. C'est ainsi que, peu à peu, je devins journaliste. Pour être plus précis : journaliste littéraire. J'écrivais des comptes rendus d'ouvrages, je réalisais des interviews (la première fut avec Pierre Bourdieu à propos de *La Distinction* : je m'en souviens comme si c'était hier). Ce métier représenta pour moi une manière imprévue d'accéder et de participer au monde intellectuel. Ce n'était pas sous la forme que j'avais imaginée dans mes rêves d'adolescent ou d'étudiant. Mais cela y ressemblait. Je déjeunais avec des éditeurs, je fréquentais des auteurs… Je nouai rapidement des liens d'amitié avec plusieurs d'entre eux, et même des liens d'amitié très étroits avec Pierre Bourdieu, avec Michel Foucault… Je venais de me résoudre à abandonner ma thèse et, par les hasards de l'existence, rendus possibles par un emboîtement de nécessités sociales et de décisions hasardeuses, voici que je me retrouvais à fréquenter tous les grands noms de la pensée contemporaine. Je ne restai pas très longtemps dans ce journal : il se transformait déjà en l'un des principaux vecteurs de

devenir journaliste

la révolution conservatrice sur laquelle je me suis arrêté à plusieurs reprises au cours de ce livre. Et dans la vaste offensive qui se préparait alors pour organiser – car ce fut très organisé – le basculement vers la droite du champ politico-intellectuel, le domaine de la philosophie et des sciences sociales et l'accès de celles-ci à l'espace public et notamment à l'espace médiatique constituaient, cela va de soi, un enjeu central et même décisif. J'étais trop lié à Bourdieu, à Foucault, trop attaché à défendre la pensée critique, l'héritage de Mai 68… Je devins vite indésirable. Mais j'avais eu le temps de me faire connaître dans la profession. Et le directeur d'un hebdomadaire qui ne supportait pas que Bourdieu le dédaigne et décline toutes ses offres de présence dans ses colonnes, et pour qui c'était devenu une obsession personnelle, m'invita à rejoindre son équipe, pour s'assurer que cela ne serait plus le cas. Je n'aimais pas ce journal. Je ne l'avais jamais aimé. Et, de surcroît, il était plus engagé encore dans le tournant néoconservateur que celui que je venais de quitter. J'hésitai longtemps (« Il faut bien gagner sa vie », me répétait Bourdieu pour me convaincre d'y aller… « Je vous donnerai une interview, et comme ça vous aurez la paix pendant deux ans »). De toute façon, je n'avais pas trop le choix : il fallait bien vivre, en effet !

Dès les premiers jours, je me sentis mal à l'aise au *Nouvel Observateur*. C'est un euphémisme. Et pourtant mon nom allait être associé pendant plusieurs années à ce journal que tout en moi me portait à exécrer. Je ne parvins jamais à accepter cette situation : je me retrouvais à nouveau en porte-à-faux. Il ne s'agissait pas d'une simple détestation, mais d'un sentiment de rejet bien plus profond. Un petit clan universitaire considérait les pages littéraires de ce magazine comme son territoire réservé, et les utilisait de manière éhontée pour gérer ses affaires et essayer d'imposer à l'ensemble de la scène politico-intellectuelle et son pouvoir, et sa dérive vers la pensée réactionnaire. Ils menaient une guerre de chaque instant contre tout ce qui était éminent et leur faisait de l'ombre, et contre tout ce qui était et entendait rester de gauche. Ma présence gênait leurs plans. Et chacun de mes articles, chacune de mes interviews déclenchait leur fureur, qui s'exprimait tantôt en invectives, tantôt en menaces (la vie intellectuelle n'est pas toujours très belle à voir de près. La réalité ne correspond guère à la vision idéalisée que l'on peut en avoir lorsqu'on aspire à y pénétrer). Après une série de crises et d'escarmouches dont la brutalité me sidéra, je décidai de ne pas gaspiller mon énergie dans ces luttes épuisantes et stériles. Et je considérai dès lors que ce « travail » ne serait rien d'autre qu'un gagne-pain et que j'allais profiter de mon salaire pour écrire des livres. Tout compte fait, ces expériences pénibles auront représenté pour moi une impulsion extraordinaire : elles me poussèrent à bifurquer pour m'orienter dans de nouvelles directions ; à mobiliser toute mon énergie pour me transformer une fois encore.

Mes premières aspirations à l'écriture furent littéraires : je mis en route deux romans, auxquels je consacrai beaucoup de temps, entre le milieu et la fin des années 1980. Le premier projet s'inspirait de mes relations — et de mes conversations — avec Dumézil et Foucault. Je voulais y décrire trois générations de gays à travers une chaîne d'amitié. Trois époques, trois vies : marquées par des per-

dormir à placard

manences et des changements. J'écrivis une centaine de pages. Un peu plus, peut-être. Jusqu'au moment où, peinant à progresser, je laissai cette liasse de feuillets dormir dans un placard. Je revenais de temps à autre à ce que j'appelais « mon roman », imaginant que je réussirais un jour à le terminer. Las! Quand je lus *The Swimming-Pool Library* d'Alan Hollinghurst, dont le projet se rapprochait du mien, j'en admirai la maîtrise et mesurai le gouffre qui séparait mes ébauches d'une œuvre aboutie : je jetai, au sens littéral, mon manuscrit à la poubelle. Le second aurait mis en scène un couple inspiré de celui formé par Benjamin Britten et Peter Pears et aurait tourné autour de l'activité créatrice quand elle s'ancre dans la relation amoureuse. J'avais à l'époque développé une véritable passion pour Britten et notamment pour ses opéras, écrits souvent pour la voix de Pears (*Peter Grimes, Billy Budd, Death in Venice*…). Manquai-je de persévérance? Ou de talent romanesque? Ou, plus simplement, pris-je conscience que je jouais un jeu? Animé par de vieilles ambitions et incapable d'y renoncer, je mimai un geste. Je me fantasmais en écrivain; rien ne me prédisposait à le devenir. Peu à peu, je me détachai de ces tentations littéraires, sans jamais les oublier vraiment : il m'arrive encore de regretter de n'avoir pas eu la patience ou la force de continuer dans cette voie.

REGRET

Un fil commun reliait ces essais avortés : dans les deux cas, mon intérêt se portait sur l'histoire gay et sur la subjectivité gay. Bizarrement, je n'eus jamais l'idée de construire un récit consacré aux classes sociales, en prenant, par exemple, comme point de départ le parcours d'un enfant des classes populaires qui s'éloigne de sa famille et en restituant, à l'intérieur d'un tel cadre, la vie de deux ou trois générations, avec ce qui les sépare et ce qui continue néanmoins de les unir. En tout cas, je ne poursuivis pas plus loin mes incursions dans le domaine de la fiction, et j'en vins donc à ce qui m'attirait depuis longtemps et que j'avais tardé à accomplir : écrire sur la vie intellectuelle, sur l'histoire de la pensée. Je commençai par deux livres d'entretiens (avec Georges Dumézil et avec Claude Lévi-Strauss). C'était, au départ, une extension de mon activité journalistique. Mais passer à la dimension d'un livre changeait tout. Pendant que je réalisais le premier, en 1986, Dumézil me suggéra d'écrire une biographie de Foucault, décédé deux ans auparavant. Il en accompagna les premiers pas en me confiant nombre d'informations et de documents, avant de s'éteindre à son tour. Cela représenta pour moi un moyen de rendre hommage à Foucault, à une époque où son nom et son œuvre étaient insultés et diffamés par les escouades néoconservatrices qui s'étaient emparées de tous les lieux d'expression, les uns après les autres, ce qui leur permettait de laisser croire que tout le monde partageait leur idéologie et leurs anathèmes, et même, comme ils le proclamaient, qu'un nouveau « paradigme » régnait désormais dans les sciences sociales (alors qu'il s'agissait simplement d'une tentative de coup de force). Ce livre intempestif et ambitieux rencontra le succès et joua, je crois, un rôle important dans la résistance qui commençait de se manifester dans l'espace public face à la contre-révolution idéologique qui y prospérait. Il fut aussitôt traduit dans de nombreux pays. Ce qui me valut d'être invité à participer à des colloques, à donner des conférences… Peu à peu, le journalisme s'éloignait de moi, ou plutôt je m'éloignais de lui. Certes, je continuai de publier chaque année quelques articles, de réaliser quelques interviews, mais ils se raréfièrent de plus en plus et la quasi-totalité de mon temps fut dès lors consacrée à écrire des livres et à participer à des activités universitaires à l'étranger. J'avais changé de métier. Cette nouvelle vie m'installa au milieu d'auteurs et de travaux qui renouvelaient le paysage intellectuel, notamment en s'intéressant à des questions qui avaient été jusque-là largement négligées par la recherche. J'eus envie d'être partie prenante de ce mouvement. Je me mis à écrire des ouvrages plus théoriques, dont le premier à paraître fut *Réflexions sur la question gay*, suivi de *Une morale du minoritaire*.

Il m'avait fallu du temps pour penser en mon nom propre. Car, pour se sentir légitime, il est nécessaire d'avoir été légitimé par tout son passé, par le monde social, par les institutions. Malgré les songes un peu fous de ma jeunesse, il ne me fut pas facile de me sentir apte – c'est-à-dire socialement autorisé – à écrire des livres, et plus encore des livres théoriques. Il y a les rêves. Et il y a la réalité. Faire coïncider les deux ne requiert pas seulement de l'obstination ; des circonstances favorables y sont tout autant nécessaires. Chez moi, dans mon enfance, il n'y avait pas de livres. Contrairement à la manière dont Sartre se dépeint dans *Les Mots* – autobiographie de jeunesse dont le but est de restituer l'histoire d'une « vocation » et même d'une « mission », c'est-à-dire d'une prédestination sociale à la vie littéraire et philosophique –, je n'étais pas « requis[1] ». Écrire ne constitua pas pour moi l'appel d'un

---

1. Jean-Paul Sartre, *Les Mots* [1964], Paris, Gallimard, « Folio », 1977, p. 139.

futur déjà contenu dans mes jeux et mes tours de petit garçon exécutés sous le regard d'adultes émerveillés et effarés par mon usage précoce du verbe, et qui adviendrait à son heure quand les années auraient passé. Au contraire! Un autre destin m'attendait : devoir ramener mes désirs au niveau de mes possibilités sociales. Il me fallut donc batailler – et d'abord contre moi-même – pour m'accorder des facultés et me créer des droits qui, pour d'autres, sont donnés d'avance. Je dus progresser à tâtons sur les chemins qui s'apparentent, pour quelques privilégiés, à un parcours fléché. Et même souvent tracer moi-même ces chemins dans la mesure où ceux qui existaient déjà se révélaient n'être pas ouverts à des gens comme moi. Le nouveau statut que j'acquis au milieu des années 1990 et le nouvel environnement international dans lequel je me trouvai inséré jouèrent pour moi, de manière différée, le rôle que l'*habitus* de classe et les voies royales du parcours scolaire et universitaire jouent pour d'autres plus tôt dans leur existence.

Je passai ainsi beaucoup de temps à voyager, en Europe, en Amérique latine et, surtout, aux États-Unis : je donnai des conférences à Chicago, je parlai dans des colloques à New York ou Harvard, j'enseignai à Berkeley, je séjournai à Princeton…

On me décerna un prix à Yale. Mes travaux sur l'histoire intellectuelle, sur l'homosexualité, sur la subjectivité minoritaire, m'avaient donc conduit là où mes origines de classe, situées dans les profondeurs du monde social, ne m'auraient jamais laissé espérer pouvoir venir un jour, et, de fait, m'avaient laissé peu de possibilités d'y parvenir.

2

À l'occasion de la remise de ce prix, je devais prononcer une conférence assez formelle. Quand on m'en demanda le titre et le résumé, je décidai de relire de façon critique les livres qui m'avaient mené jusqu'à cette récompense et cette cérémonie. Je voulais réfléchir sur la manière dont on constitue rétrospectivement son passé, à travers les catégories théoriques et politiques disponibles dans la société au sein de laquelle on vit. Je commençai en évoquant la mort de mon père, la journée passée avec ma mère à ouvrir des cartons de vieilles photos, la redécouverte de l'univers dans lequel j'avais autrefois vécu et qui se rappelait à moi sur chacune de celles-ci… Après avoir décrit mon enfance de fils d'ouvrier, je me demandai pourquoi je n'avais jamais eu l'idée ou l'envie de réfléchir sur cette histoire-là ni pensé à partir d'elle. Je citai un passage qui m'avait beaucoup touché dans une interview d'Annie Ernaux : interrogée à propos de l'influence que l'œuvre de Bourdieu exerça sur son travail, elle raconte que, s'engageant très jeune sur les chemins de la littérature, elle avait noté dans son journal (de l'année 1962) : « Je vengerai ma race ! » C'est-à-dire, précise-t-elle, le monde d'où elle était issue, celui des « dominés ». Elle hésitait encore sur la forme à adopter pour mener à bien ce projet. Quelques années plus tard, poursuit-elle, « dans la mouvance de 68, la découverte des *Héritiers*, sur fond de mal-être personnel et pédagogique », constitua pour elle « une injonction secrète » à « plonger » dans sa mémoire pour « écrire la déchirure de l'ascension sociale, la honte, etc. ».

Comme elle, je ressentis la nécessité, dans le contexte d'un mouvement politique et de l'effervescence théorique qui l'accompagnait, de « plonger » dans ma mémoire et d'écrire pour « venger ma race ». Mais ce fut une autre « race » que je m'attachai à venger et donc une autre mémoire que j'entrepris d'explorer. Les mouvements collectifs, en donnant aux individus le moyen de se constituer comme sujets de la politique, leur offrent en même temps les catégories à travers lesquelles ils peuvent se percevoir eux-mêmes. Ces grilles de lecture de soi s'appliquent au présent, bien sûr, mais également au passé. Les schèmes théoriques et politiques précèdent et informent la façon dont on se pense soi-même et ils créent ainsi la possibilité d'une mémoire à la fois collective et individuelle : c'est à partir de la politique contemporaine que l'on regarde en arrière pour réfléchir sur la manière dont se sont exercés les mécanismes de la domination et de l'assujettissement et dont se sont opérées les reformulations de soi produites par les processus de la résistance, qu'ils aient été conscients d'eux-mêmes ou simplement mis en pratique au jour le jour. Ces cadres politiques de la mémoire définissent, dans une large mesure, l'enfant que l'on a été et l'enfance que l'on a vécue.

Mais, et Halbwachs attirait déjà notre attention sur ce point, s'il est vrai que la mémoire collective, celle du groupe auquel on appartient ou auquel on s'identifie et que l'on contribue ainsi à créer, constitue la condition de la mémoire individuelle, il est tout aussi vrai que chaque individu s'inscrit dans plusieurs groupes. Que ce soit successivement ou simultanément[1]. Ces groupes se recoupent parfois ; ils évoluent toujours et se transforment sans cesse. Aussi la « mémoire collective » et, avec elle, les mémoires individuelles et le passé des individus sont-ils non seulement pluriels, mais changeants. Ils s'élaborent dans des espaces et des temporalités multiples, hétérogènes, qu'il serait vain de vouloir ramener à l'unité, ou de chercher à hiérarchiser en décrétant lesquels sont importants et lesquels ne le sont pas. Après tout, le premier livre d'Annie Ernaux, *Les Armoires vides*, en 1974, n'évoque pas seulement le monde social de son enfance et de son adolescence ; il raconte également l'expérience traumatisante, vécue par une jeune fille de 20 ans, d'un avortement clandestin[2]. Et lorsqu'elle reviendra plus tard, dans *Les Années*, sur le moment où se forma en elle le projet d'écrire pour récupérer tout ce qu'elle avait « enfoui comme honteux » et qui devenait « digne d'être retrouvé », elle soulignera à quel point la « mémoire qui se déshumilie » avait dessiné devant elle un avenir autant politique que littéraire et intellectuel, dans lequel elle allait pouvoir se réapproprier différentes étapes de sa trajectoire, différentes dimensions

---

1. Cf. Maurice Halbwachs, *Les Cadres sociaux de la mémoire* [1925], Paris, Albin Michel, 1994 ; *La Mémoire collective* [manuscrit de 1932-1938, édition établie par Gérard Namer], Paris, Albin Michel, 1997.

2. Annie Ernaux, *Les Armoires vides*, Paris, Gallimard, 1974.

constitutives de sa personnalité : « Lutter pour le droit des femmes à l'avortement, contre l'injustice sociale et comprendre comment elle est devenue cette femme-là ne font qu'un pour elle[1]. »

Quand le marxisme dominait la vie intellectuelle française, à gauche en tout cas, à l'époque de mes études, au cours des années 1960 et 1970, les autres « luttes » paraissaient « secondaires » ou, même, étaient dénoncées comme des « diversions petites-bourgeoises » qui détournaient l'attention du seul combat digne d'intérêt, du seul « vrai » combat, celui de la classe ouvrière. En insistant sur toutes les dimensions que le marxisme avait laissées de côté – la subjectivation sexuée, sexuelle ou raciale, entre autres… – parce qu'il concentrait son attention exclusivement sur l'oppression de classe, les mouvements que l'on désigna comme « culturels » furent amenés à proposer d'autres problématisations de l'expérience vécue, et à négliger, dans une très large mesure, l'oppression de classe.

Doit-on admettre que la censure qu'exerçait le marxisme et qui repoussait hors des cadres de la perception politique et théorique un ensemble de questions telles que le genre ou la sexualité ne pouvait être contournée qu'en censurant ou refoulant ce que le marxisme nous avait accoutumés à « percevoir » comme l'unique forme de domination ? Et que, par conséquent, la disparition du marxisme, ou du moins son effacement comme discours hégémonique à gauche, aura été la condition nécessaire pour qu'il devienne possible de penser politiquement les

---

1. Annie Ernaux, *Les Années*, Paris, Gallimard, 2008, p. 121.

mécanismes de l'assujettissement sexuel, racial, etc., et de la production des subjectivités minoritaires ? Il est probable que oui.

Mais pourquoi nous faudrait-il choisir entre différents combats menés contre différentes modalités de la domination ? Si ce que nous sommes se situe à l'intersection de plusieurs déterminations collectives, et donc de plusieurs « identités », de plusieurs modalités de l'assujettissement, pourquoi faudrait-il instituer l'une plutôt que l'autre comme foyer central de la préoccupation politique, même si l'on sait que tout mouvement a tendance à imposer comme primordiaux et prioritaires ses principes spécifiques de division du monde social ? Et si ce sont les discours et les théories qui nous fabriquent comme sujets de la politique, ne nous incombe-t-il pas de bâtir des discours et des théories qui nous permettent de ne jamais négliger tel ou tel aspect, de ne laisser hors du champ de la perception ou hors du champ de l'action aucun domaine de l'oppression, aucun registre de la domination, aucune assignation à l'infériorité, aucune honte liée à l'interpellation injurieuse… ? Des théories qui nous permettent aussi d'être prêts à accueillir tout mouvement nouveau qui voudra porter sur la scène politique des problèmes nouveaux et des paroles qu'on n'y entendait ou qu'on n'y attendait pas[1] ?

Cette conférence à Yale représenta pour moi une véritable épreuve, au sens, entre autres, d'un moment clé dans

---

1. Didier Eribon, « The Dissenting Child : A Political Theory of the Subject », conférence prononcée le 9 avril 2008, à l'occasion de la remise du James Robert Brudner Memorial Prize.

un parcours initiatique. À peine l'eus-je prononcée que l'idée s'imposa à moi de reprendre là où je l'avais laissé le livre mis en chantier peu après la mort de mon père – et auquel j'avais d'emblée donné comme titre *Retour à Reims* – et abandonné quelques semaines plus tard, tant il m'avait paru impossible de poursuivre ce travail. Je me mis à lire avec frénésie tout ce qui pouvait se rapporter à ces thèmes. Je savais qu'un tel projet – écrire sur le « retour » – ne peut se mener à bien qu'à travers la médiation, je devrais dire le filtre, des références culturelles : littéraires, théoriques, politiques… Elles aident à penser et à formuler ce que l'on cherche à exprimer, mais surtout elles permettent de neutraliser la charge émotionnelle qui serait sans doute trop forte s'il fallait affronter le « réel » sans cet écran. Je m'étais cependant promis de ne lire qu'une fois mon dernier chapitre achevé le roman de Raymond Williams, *Border Country*[1]. J'avais le pressentiment que son empreinte s'imposerait à moi trop fortement. J'ai donc attendu. Je le referme aujourd'hui, à l'instant de conclure. L'« intrigue » commence lorsqu'un professeur de l'université de Londres apprend que son père vient d'être victime d'une attaque cardiaque et que ses jours sont comptés. Il s'empresse de prendre le train. La narration remonte alors dans le temps et déroule les étapes d'un itinéraire qui va de son enfance dans les classes populaires galloises jusqu'au moment où il revient dans sa famille avant le deuil qui s'annonce, en passant par son éloignement d'avec son milieu d'origine et le malaise et la honte

---

1. Raymond Williams, *Border Country* [1960], Cardigan, Parthian, « The Library of Wales », 2006.

qui en sont les effets presque inévitables, et l'obligation, une fois qu'il est « rentré », de revivre mentalement son enfance et son adolescence. Au centre de cette histoire, on trouve, bien sûr, son départ pour l'université, grâce au soutien de ses parents, conscients que leurs efforts et leurs sacrifices auront pour résultat de les séparer de leur fils. À la dernière page, le personnage principal comprend qu'il n'est pas possible de « revenir », d'abolir les frontières instaurées depuis tant d'années. Tout au plus peut-on s'attacher, en essayant de raccorder le présent au passé, à se réconcilier avec soi-même et avec le monde que l'on a quitté. Il déclare, avec beaucoup de sobriété, qu'il a « mesuré la distance » et que, « en mesurant la distance », « on met fin à l'exil ».

A-t-il raison ? A-t-il tort ? Je ne suis pas certain de pouvoir en décider. Ce que je sais, c'est que, au moment d'arriver à la fin de ce roman, quand le fils apprend la mort de son père avec qui il eut tout juste le temps de renouer les liens d'une affection disparue ou simplement oubliée, je sentis les larmes me monter aux yeux. Allais-je pleurer ? Mais sur quoi ? Sur qui ? Des personnages de roman ? Mon propre père ? Le cœur serré, je repensai à lui et regrettai de ne pas l'avoir revu. De ne pas avoir cherché à le comprendre. Ou tenté autrefois de lui parler. D'avoir, en fait, laissé la violence du monde social l'emporter sur moi, comme elle l'avait emporté sur lui.

Quelques années auparavant, comme je me trouvais à nouveau dépourvu de revenus réguliers et garantis, il m'avait semblé tout naturel d'entreprendre les démarches nécessaires pour entrer dans l'université française. Mes livres et mes enseignements américains m'y donnaient droit. Après un long détour, je retrouvai donc ces espaces que j'avais dû quitter à la fin des années 1970 car je n'étais pas socialement habilité à y appartenir. J'y suis aujourd'hui professeur. Quand j'annonçai à ma mère qu'on m'avait offert un poste, elle me demanda, émue :

« Et tu vas être prof de quoi ? De philosophie ?

– De sociologie, plutôt.

– C'est quoi, ça ? C'est sur la société ? »